J'ai écrit mon livre, et maintenant ?

Trucs, astuces et adresses

Benoit Couzi

Guy Migrenne

Je vends mon livre.com

© JVML – Benoît Couzi & Guy Migrenne
ISBN : 979-10-377-1044-4

Table des matières

En... fin

Vous venez d'apposer le mot **FIN** en bas de votre manuscrit. Vous avez sué pendant des semaines ou des mois pour en arriver là et un sentiment de fierté vous remplit : vous êtes un écrivain ou, à tout le moins, un auteur !

Vous vous sentez aussi un peu orphelin car vos personnages, ceux qui vous ont accompagné au travail, qui ont remplacé les séries de Netflix et qui ont peuplé vos nuits, ces êtres de chair et de sang vous manquent déjà et vous vous demandez comment vous allez pouvoir vivre sans eux. La vie va reprendre ses droits et vous vous voyez déjà retomber dans le commun des mortels.

Une lueur persiste pourtant au fond de votre cœur en pensant au travail à mettre en œuvre afin de faire connaître votre livre. Mais cette lueur est bien pâle car vous devez vous rendre à l'évidence : vous ne savez pas comment vous y prendre !
Eh oui, écrire est une chose, vendre en est une autre et, si vous avez su déposer vos idées et votre imagination sur le papier, vous n'avez aucune idée pour publier ce texte qui est une partie de vous-même.

Cet ouvrage est là pour vous aider. Notre agence littéraire est spécialisée dans la montée de notoriété des auteurs, qu'ils soient déjà connus ou de véritables inconnus pour le public. Nous y avons intégré tout ce qu'il faut savoir pour présenter votre ouvrage, l'autoéditer ou l'éditer, le mettre en vente et finalement en retirer tout le bonheur que vous espérez.

Découvrons ensemble le monde de l'édition et celui de la promotion littéraire.

La présentation

Avoir terminé l'écriture d'un ouvrage ne signifie pas en avoir fini avec le texte. Il faut avant toute chose, et quelle que soit la solution de publication que vous choisirez, l'habiller de ses plus beaux atours avant de la présenter au lectorat que vous espérez.

Pour cela, vous devrez le [faire] corriger et le [faire] mettre en page car le respect que vous devez aux lecteurs qui vont découvrir votre travail passe par une présentation la plus parfaite possible.

La correction

Le meilleur en orthographe laisse toujours quelques fautes ou coquilles s'inviter dans les pages d'un ouvrage, quel que soit son nombre de mots. Écrire c'est parfois réfléchir longuement mais c'est aussi lâcher sur une feuille ou un écran un soupir littéraire et, dans ce cas, l'orthographe ou la grammaire n'ont qu'à bien se tenir : il faut écrire vite pour ne pas perdre l'inspiration. C'est ainsi que les fautes s'additionnent au fil des pages et qu'il n'est pas rare de rencontrer un nombre très important d'erreurs de typographie, d'orthographe ou de grammaire.

Présenter un ouvrage contenant des fautes est la pire des choses à faire car vendre un livre signifie faire fonctionner le bouche-à-oreille traditionnel et les réseaux sociaux modernes. Le lecteur outré d'avoir rencontré des fautes dans un livre qu'il aura acquis le détruira par quelques mots que l'auteur trouvera bien insolents.

Afin de présenter un manuscrit exempt de ses fautes et anomalies, vous pouvez vous aider du correcteur de votre traitement de texte. Celui-ci souligne les erreurs de couleur différente selon qu'il s'agit d'orthographe ou de grammaire. Il vous proposera une correction sur laquelle il vous faudra statuer car le correcteur automatique a ses limites et n'est pas infaillible. Pour aller plus loin, vous pourrez acquérir un logiciel de correction plus poussée comme Antidote ou Cordial (qui propose une version gratuite). À l'aide de cet outil, vous pourrez corriger la typographie, l'orthographe, la grammaire et même repérer les répétitions ou les pléonasmes.

Que vous choisissiez l'une ou l'autre de ces solutions, qui souvent s'additionnent dans leurs effets, vous ne pourrez pas éviter de relire votre ouvrage. Faites-le doucement, ligne à ligne sans vouloir anticiper les passages au prétexte que vous connaissez déjà le texte. Lisez comme vous le feriez d'un texte inconnu en vous glissant dans la peau d'un lecteur commun. Vous pouvez

> **ASTUCE**
>
> LORS DE VOTRE RELECTURE, SI VOUS AVEZ UN DOUTE SUR LE BIEN-FONDÉ D'UN PASSAGE, LISEZ-LE À VOIX HAUTE COMME FAISAIT FLAUBERT SANS SON GUEULOIR, VOUS ENTENDREZ CE QUI SONNE MAL.

également vous aider en faisant relire par un de vos proches.

La mise en page

Aussi importante que la correction, la mise en page de votre ouvrage sera votre ambassadrice pour vous présenter aux éditeurs ou à vos lecteurs. Prêtez donc une attention toute particulière à celle-ci.

<ins>Vous cherchez un éditeur</ins>

Vous devrez rédiger une lettre d'intention exprimant votre souhait d'être publié, les raisons pour lesquelles vous avez choisi la maison à laquelle vous vous adressez, le nombre de mots de votre travail et qui vous présentera succinctement. Cette lettre devra tenir sur un seul feuillet. Vous devrez également produire un résumé d'une dizaine de lignes qui donnera à l'éditeur l'envie d'aller plus loin. Ces deux éléments devront être insérés devant le manuscrit proprement dit et dans le même fichier pour tout envoi par voie électronique. Si vous devez adresser votre travail au format papier, vous insérerez les deux feuillets libres dans la reliure que vous aurez préparée de votre manuscrit.

Votre texte devra être présenté au format justifié, dans un pas de 12 et dans une police classique de type Times New Roman ou Calibri dans des marges « normales ». Chaque logiciel de traitement de texte propose des marges étroites, larges ou normales. Supprimez toute table des matières de votre ouvrage excepté s'il s'agit d'un recueil (poésies ou nouvelles), le lecteur n'a aucun besoin de retrouver le nom et les pages des chapitres dans un roman.

ATTENTION ! Lors de son arrivée dans le courrier d'une grande maison d'édition, les manuscrits sont évalués par un assistant éditorial qui décide seul si votre travail mérite d'être évalué par le comité de lecture de la maison. Vous avez donc tout intérêt à mettre toutes les chances de votre côté.

Ne cherchez pas à vous distinguer, vous ne feriez que prendre le risque de perdre l'éditeur.

Vous souhaitez vous autoéditer

Bien sûr dans ce cas, la rigueur n'est pas la même que pour présenter un manuscrit à un éditeur mais il convient tout de même de suivre quelques règles afin de ne pas dérouter votre lectorat potentiel par une présentation de mauvaise qualité.

- C'est ainsi qu'il est nécessaire que votre texte soit en mode justifié, aucun livre n'est présenté d'une manière différente.
- Vous le publierez au format A5 (14,8 cm* 21cm), il s'agit là du format le plus couramment utilisé dans l'édition moderne.
- Vous pouvez utiliser une police qui vous tient à cœur mais, surtout, n'en mixez pas plusieurs dans votre ouvrage.
- N'oubliez pas de numéroter vos pages.
- Pour la publication numérique, ajoutez une table des matières cette fois obligatoire pour un bon cheminement dans l'ouvrage.

La couverture

Le livre est texte mais il est aussi graphisme, et la couverture de l'ouvrage est au moins aussi importante que le contenu de celui-ci car elle est ce que le lecteur potentiel voit en premier lieu. Il faut donc lui apporter autant de soins qu'à votre texte.

Une bonne couverture doit répondre à plusieurs besoins :

- Présenter le titre et le nom de l'auteur
- Présenter un résumé de l'ouvrage
- Présenter le prix du livre et son ISBN.

Elle doit aussi donner une information sur le genre littéraire qu'il soit indiqué explicitement ou suggéré par un visuel ou la mise en scène de plusieurs images.

Vous pourrez réaliser vous-même votre couverture à l'aide de certains outils gratuits existants sur la toile et accessibles au plus grand nombre par leur facilité d'utilisation. Attention, ne vous lancer dans une opération de création que si vous considérez avoir un niveau au moins moyen en manipulation de fichier sinon trouvez un graphiste qui fera le travail pour vous moyennant finances bien entendu.

La 1ère de couverture

Donner envie au lecteur qui passe dans une librairie ou sur une page en ligne de sélectionner votre livre, voilà votre mission. Pour cela, vous avez trois leviers à votre disposition : l'image, la couleur et le style.

Le choix de l'image est capital car elle doit résumer à elle seule l'ensemble de votre œuvre. Résumer ne signifie pas expliquer, ne signifie pas détailler aussi ne faites pas l'erreur de vouloir représenter tous les éléments de votre histoire mais bien d'en sélectionner un seul, le plus important, l'incontournable. Vous le mettrez alors en scène en mixant souvent deux ou trois images pour mettre cet élément en valeur.

Vous ajouterez ensuite le titre de votre ouvrage, votre nom d'auteur et, si vous le souhaitez le genre littéraire de votre ouvrage.

La tranche

Elle doit présenter le titre de votre ouvrage et votre nom d'auteur car ce sont ces éléments qui seront visibles dans une bibliothèque et permettront de retrouver facilement votre livre.

La 4ème de couverture

Traditionnellement, un livre comporte sur sa 4ème de couverture un résumé du livre (ou synopsis), une biographie et souvent une photo de son auteur, un code-barres et le prix de l'ouvrage.

> **ASTUCE**
>
> L'APPARENCE MATE D'UNE COUVERTURE DONNE PLUS ENVIE DE PRENDRE LE LIVRE EN MAIN QUE L'ASPECT BRILLANT.

La présentation que vous en ferez sera la vôtre même s'il est convenu de cet ordre d'apparition sur la couverture.

N'hésitez pas à surprendre, mais attention à ne pas dérouter, car ce sera certainement l'un des déclencheurs de la vente. On dit que lorsque le lecteur a pris un livre en main, le plus gros du travail est fait. Alors, faites tout pour qu'il fasse ce geste tant espéré.

Et si j'utilisais un nom de plume

On peut avoir en soi la fierté d'avoir écrit un livre, il est parfois nécessaire de se cacher pour ne pas dévoiler sa véritable identité. Cela peut avoir trait au contenu du livre ou par pure discrétion. Quel que soit votre besoin, vous pouvez user d'un nom de plume, sorte d'alias ou pseudonyme.

Mais sachez que le lecteur moderne aime savoir qui a écrit ce qu'il a entre les mains et qu'il voudra faire des recherches sur internet afin de découvrir qui vous êtes vraiment. Afin de ne pas le frustrer, il conviendra alors de créer votre site auteur, de quelques pages simples, qui répondra aux quelques questions qu'il se pose : qui est l'auteur, pourquoi écrit-il, qu'a-t-il déjà écrit…

Afin de ne pas dérouter votre lectorat, vous choisirez ce nom le moins exotique possible. Évitez les Jack Carpenter ou les Magda Evalinoshva publiés en France. Laissez de côté également les noms trop alambiqués et ceux qui sonnent parfaitement faux (sauf si vous avez écrit de la romance ou de la fantasy). Préférez des noms simples, de la rue, des noms passe-partout qui donneront une épaisseur au nouveau personnage que vous venez de créer.

Que faire de mon livre

Les différents types de publication

Plusieurs modes de publication vous sont ouverts pour mettre votre ouvrage à la disposition des internautes et des acheteurs de librairies. Plus exactement, quatre méthodes vous sont proposées, très différentes et même diamétralement opposées :

l'édition à compte d'éditeur, l'édition à compte d'auteur, l'édition participative et l'autoédition. Voyons en détail ce qu'il vous est possible de choisir.

L'édition à compte d'éditeur

Elle permet à un auteur d'être publié parfaitement <u>gratuitement</u>. Dans ce cas, l'éditeur prend tous les risques car s'il ne vend pas le livre, il n'est pas remboursé de ses frais de conception. C'est la voie royale, celle dont la plupart des auteurs rêvent secrètement. Mais c'est aussi le Graal le plus difficile à toucher car moins de 5 % des manuscrits reçus obtiennent une proposition de contrat.

Attention cependant à bien choisir votre maison car de nombreuses petites structures n'ont aucun moyen financier ni logistique pour assurer une bonne promotion.

L'édition à compte d'auteur

Les sociétés qui la proposent font payer l'auteur pour tout le travail de conception de son ouvrage. Nous avons alors affaire à un <u>prestataire de services</u> qui vend une mise en page et une correction ainsi qu'une impression de texte. Aucune promotion ne sera effectuée car la maison sera payée pour son travail avant même que le livre ne soit publié. Ces « éditeurs » facturent entre 1500 et 4000 euros pour la publication d'un ouvrage. Bien entendu, il suffit d'envoyer son manuscrit à ces maisons pour qu'il soit immédiatement retenu pour être publié.

Les éditions Amalthée
Editions Vérone
Editions Anovi
Les Editions Baudelaire
Les éditions Alyos
La société des écrivains
L'Harmattan
Edilivre
La Bruyère

Les Editions de l'Onde
I-éditions
La compagnie littéraire
Les Editions Thot
Les Editions Thélès
Gunten

L'édition participative

La troisième catégorie d'éditeurs est celle de l'édition participative. Celle-ci recouvre beaucoup de choses : des éditeurs qui vont demander un montant pour couvrir les frais de correction, d'autres qui demanderont des frais pour faire la couverture ou pour toute action de promotion. Il en ressort du bon et du mauvais car certaines maisons sont très honnêtes et demandent ces montants pour permettre la publication, alors que d'autres vendent du vent. Il faut donc être très vigilants sur les propositions qui sont faites dans le contrat à signer. Les montants à payer peuvent varier de 500 à 1500 euros.

L'autoédition

Enfin, vous pouvez choisir de publier vous-même votre ouvrage sans l'aide de professionnels. Vous devrez alors tout faire vous-même : la correction, la mise en page, la recherche des identifications de votre livre, la couverture, le fichier à mettre en ligne pour le broché puis le fichier EPUB ou MOBI pour le numérique. C'est tout à fait possible avec les moyens qui sont mis à votre disposition par plusieurs sites qui vous demanderont en échange de publier votre livre sur leurs pages.

Amazon
Babelio
Publishroom
Copymédia
Monbeaulivre.fr
MonBestSeller
Je publie mon livre
Humanis éditions
Kobo
Bookelis
Blurb
Atramenta
Librinova
Iggybook
Ebook-creation
Thebookedition
Libres d'Ecrire

Lulu
Wattpad
La Boutique des Auteurs
Edilivre

Suivez cette voie néanmoins uniquement si vous vous en sentez capable car il s'agira d'un travail de longue haleine, passionnant mais difficile.

Rechercher un éditeur

Nous venons de voir que la voie royale pour un auteur est d'être publié par un éditeur à compte d'éditeur, celui qui prendra en charge la totalité des frais de réalisation du livre et de sa promotion. Mais comment trouver cette perle ? Le chemin sera long, semé de déconvenues mais, au bout, vous trouverez peut-être votre Graal.

Pour toucher les éditeurs, deux moyens sont à votre disposition : l'envoi au format papier ou l'envoi d'un fichier numérique. Les grandes maisons ne lisent que sur papier alors que les petites et moyennes maisons acceptent la réception par courriel.

Pour les premiers, il faut dans un premier temps, et comme il a déjà été dit, présenter votre manuscrit d'une manière irréprochable, celle que les éditeurs attendent. Pour rappel : votre manuscrit devra être imprimé au format A4, uniquement sur le verso et relié. Vous aurez inséré en tête de votre travail une lettre d'intention sans omettre d'indiquer votre adresse postale, votre adresse courriel et votre numéro de téléphone. Si vous souhaitez récupérer votre manuscrit pour le cas où il serait refusé, joignez une enveloppe d'un format adapté et affranchi suffisamment afin que l'éditeur vous le renvoie. Sans cette enveloppe, les éditeurs ne vous renverront jamais votre travail.

Le coût de préparation puis d'envoi au format papier est très élevé et pourtant il va falloir multiplier les tentatives car pour obtenir une réponse positive, il conviendra de sélectionner au minimum 25 maisons à qui vous enverrez votre travail.

À qui envoyer mon travail ?

Chaque maison d'édition a sa propre ligne éditoriale, cela signifie le ou les genres littéraires qu'elle publie ; Vous devrez donc sélectionner celles à qui vous allez adresser votre travail sur la base de ces lignes éditoriales. Voici une liste des principales maisons d'édition françaises avec la mention des genres littéraires qu'elles mettent en avant.

Nom	Collections	Adresse
Actes Sud	Cadet	Actes Sud Junior
	Ado	18, rue Séguier 75006 Paris
Albin Michel	Albin jeunesse	Éditions Albin Michel 22, rue Huyghens 75014 Paris
Bayard Jeunesse	Estampille (10-13 ans)	Bayard Editions
		Corie Sion

		Service des manuscrits
		18, rue Barbès
		92128 Montrouge
Belin	Belin jeunesse	Éditions Belin
		Service des manuscrits
		Département Jeunesse
		8, rue Férou
		75278 Paris, Cedex 06
Éditions du Lys Bleu		83, avenue d'Italie 75013 PARIS
Éditions Michel Quintin	Jeunesse	Éditions Michel Quintin Comité de lecture 4770, rue Foster Waterloo (Québec) Canada J0E 2N0
Éditions Milan	Roman poche Junior	Éditions Milan
		Service des manuscrits
		300, rue Léon Joulin
		31101 Toulouse Cédex 09
Éditions Rageot		Rageot Éditeur
		Comité de lecture
		6 rue d'Assas
		75006 Paris
Flammarion Jeunesse	Grand format	Éditions Flammarion
	Tribal	Service des manuscrits
		87, quai Panhard et Levassor 75 647 Paris cedex 13
Fleurus	+ 12 ans Mondes imaginaires	Fleurus Editions 15-27, rue Moussorgski 75895 Paris Cedex 18

Grasset	Grasset jeunesse	Comité de Lecture Grasset Jeunesse
		61, rue des Saints Pères
		75006 Paris
Gründ	Jeunesse	
Hachette jeunesse	Black Moon	Service manuscrits
		Hachette Jeunesse Livres Illustrés
		43, quai de grenelle
		75905 Paris cedex 15
Hélium		Hélium Éditions
		18 rue Séguier
		75006 Paris
L'école des loisirs	Médium	Comité de Lecture
	Neuf	11, rue de Sèvres,
		75006 Paris
La joie de lire	Récits	Éditions La joie de lire SA
	Encrage	Chemin Neuf 5
		1207 Genève, Suisse
La Martinière jeunesse	Ados	Éditions de La Martinière Jeunesse9, rue Casimir Delavigne75006 Paris
Le pré au clerc		Éditions Le pré au clerc
		12 avenue d'Italie
		75627 Paris Cedex 13
Les grandes personnes		Éditions des Grandes Personnes
		63 Boulevard de Ménilmontant
		75011 Paris
Les moutons électriques (RA)		Les moutons électriques
		Direction littéraire
		13 impasse Pierre-Melin
		33800 Bordeaux

Mango	+ 12 ans Mondes imaginaires	Mango Éditions
		15-27, rue Moussorgski 75895 Paris Cedex 18
Nord Sud	Romans	Éditions NordSud18, Rue de l'OuvrageB-5000 Namur (Belgique)
Rouergue	Jeunesse	Éditions du Rouergue 47, rue du Docteur Fanton, Arles
Scrinéo		Scrinéo
		8, rue Saint Marc
		75002 Paris
Seuil	Seuil jeunesse	Éditions du Seuil
		25 bd Romain Rolland
		75014 Paris
Syros		Éditions Syros
		25, avenue Pierre de Coubertin
		75211 Paris Cedex 13
Tertium Éditions	Volubile	Tertium Éditions
		38, avenue Charles de Verninac
		46110 Vayrac
Thierry Magnier	Romans adolescents	Éditions Thierry Magnier
		Service des manuscrits
		18, rue Séguier
		75006 Paris
XO Éditions		XO Éditions Tour Maine Montparnasse 33 avenue du Maine BP 142 75755 Paris cedex 15
Gallimard Jeunesse	9/13 ans	http://manuscrits.gallimard-jeunesse.fr
	13 ans et +	

Castelmore (Bragelonne)		http://www.bragelonne.fr/Manuscrits
Actusf	Jeunesse	edition@actusf.com
Albazane	Histoire d'en rêver	contact@alzabane-editions.com
Aux Forges de Vulcain	Littérature	manuscrits@auxforgesdevulcain.fr
Balivernes (RA)	Roman ados	soumissions@balivernes.com
Casterman		manuscritsjeunesse@casterman.com
D'un monde à l'autre	Romans jeunesse	manuscrits@mondealautre.fr
Dadoclem		manuscrits@dadoclem.fr
Éditions Mouck	Graines d'ados	manuscrit@editionsmouck.fr
Éditions Oslo	Fantasy	contact@osloeditions.eu
Frimousse	12 et +	projets@frimousse.fr
Gulf Stream Éditeur		manuscrit@gulfstream.fr
L'Atalante		manuscrits@l-atalante.fr
La courte échelle (Québec)	12	info@courteechelle.com

Les Éditions du Poisson cube		contact@poissoncube.com
Les Éditions Rebelle	Chimère Jeunes Adultes	manuscrits@rebelleeditions.com
Les Éditions Valentina		manuscrit@boutique-valentina.fr
Mnémos (Ra)	Fantasy	info@mnemos.com
Pétroleuses Éditions	Jeunesse	infoedito@petroleuses-editions.com

Chaque auteur croit en son travail mais cela n'empêche pas d'être réaliste et de savoir s'il est opportun d'envoyer son manuscrit aux plus grandes maisons (Flammarion, Le Seuil, Gallimard), ces maisons qui publient des prix tels que les Goncourt, les Renaudot ou les Fémina. Sachez vous évaluer, ne vous placez ni trop bas ni trop haut et envoyez votre manuscrit aux maisons qui vous semblent en adéquation avec ce que vous avez écrit. Vous aurez autant de déconvenues en moins !

Haut les cœurs !

Car des refus, vous allez en connaître beaucoup et sous des formes souvent impersonnelles. Vous recevrez probablement de nombreuses fois « Votre livre ne correspond pas à notre ligne éditoriale », si vous avez bien sélectionné les maisons à qui vous avez envoyé votre manuscrit, vous pourrez traduire par « Votre manuscrit ne nous intéresse pas ». Vous recevrez aussi certains « Votre manuscrit est très intéressant mais nous ne pouvons pas le publier pour le moment. », traduisez par « Votre manuscrit ne nous intéresse pas ». Et puis, et heureusement, vous recevrez quelques gentilles lettres qui vous feront chaud au cœur car elles proviendront d'éditeurs qui les auront signées, qui aiment les auteurs et qui auront pris le temps d'analyser votre travail et de vous en rendre compte. Prenez ces remarques pour des conseils et ajustez votre manuscrit grâce à elles.

Le contrat

Et un jour, enfin, vous recevrez LA proposition de publication. Celle qui vous laissera pantois, les bras ballants, oscillant entre bonheur et incrédulité. Mais ce sera vrai, vous allez devenir un auteur publié ! Viendra alors le temps du contrat et des milliers de questions à résoudre.

> *ATTENTION ! Certains éditeurs ne versent les droits d'auteur qu'à partir d'un certain volume de ventes. Vous devez demander un paiement dès le premier livre vendu.*

La durée

Un contrat d'édition a une durée de 3 à 6 ans. Les contrats longs peuvent signifier que l'éditeur a vraiment confiance en votre ouvrage mais les contrats courts renouvelables sont le signe d'éditeurs sûrs d'eux et de leur capacité à promouvoir votre ouvrage en faisant tout pour vous faire resigner.

Les droits d'auteur

Les droits proposés par les différentes maisons sont en moyenne de 8 à 10 % du prix de vente public hors taxes. Cela peut paraître dérisoire mais il faut savoir que de nombreux coûts viennent réduire le résultat des ventes d'un livre.

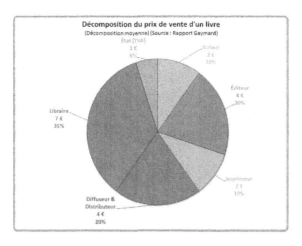

Un éditeur vous proposant plus de 15 % de droits vous demandera de prendre en charge certains frais (édition participative), un éditeur vous proposant plus de 40 % vous demandera de prendre en charge tous les frais d'édition (édition à compte d'auteur).

Certains éditeurs vous proposeront un taux correct mais vous demanderont d'acheter des exemplaires de votre ouvrage pour faciliter votre promotion. Cela vous permettra de marger fortement lors de la vente sur des salons.

Broché, numérique ou les deux ?

Un livre est traditionnellement publié au format papier (broché) mais la modernité veut aussi qu'il soit maintenant disponible sur nos différents écrans (numérique). Vous pouvez opter pour une publication uniquement brochée, une publication uniquement numérique ou les deux conjointes. C'est avant tout le genre littéraire dans lequel vous avez écrit qui va dicter la réponse à cette question car seuls quelques genres sont correctement vendus en numérique : la romance, le policier/thriller, la science-fiction et la fantasy. Il ne servira donc à rien de publier un roman d'aventures ou un essai ou de la poésie en ebook, vous n'en vendrez quasiment aucun. De la même manière, certains genres ne trouvent pas leur place en librairie comme la bit-lit par exemple.

Genre littéraire	Broché	Numérique
Aventure	Oui	
Romance	Oui	Oui
Policier	Oui	Oui
Thriller	Oui	Oui
Bit-lit	Non	Oui
Chicklit	Non	Oui
Saltterpunk	Non	Oui
Poésie	Oui	Non
Nouvelles	Oui	
Essai	Oui	
Érotique		Oui
Biographie personnelle	Oui	Non
Histoire	Oui	

Où vend-on les livres ?

Nous sommes entourés de livres mais nous ne connaissons pas toujours leur provenance car les points de vente sont variés.

Les librairies

Arrivent en tête dans nos esprits les librairies, ces commerces qui ont comme spécialité la vente d'ouvrages. C'est une réaction légitime mais pourtant seulement 18 % des ventes du marché français sont réalisés dans ces espaces traditionnels.

Les grandes surfaces culturelles

Ensuite, nous pensons aux grandes surfaces qui proposent des livres mais aussi des disques ou des jeux vidéo. Elles se nomment Fnac, Espace Culturel Leclerc, Furet du Nord, France Loisirs ou Cultura. Elles représentent environ 25 % des ventes de livres.

Les hypermarchés

Chaque hypermarché propose dès l'entrée dans le magasin et sur votre droite, un rayon livres. Les parents y abandonnent d'ailleurs souvent les enfants pour qu'ils lisent, une BD le plus souvent, pendant qu'ils font leurs courses de la semaine. Ces rayons sont achalandés correctement mais uniquement des nouveautés des seules grandes maisons d'édition. L'hypermarché ne prend aucun risque en stockant des titres dont il ne serait pas certain de la vente rapide. Ce secteur représente moins de 5 % du total des ventes de livres.

Les plateformes en ligne

Et puis, il reste les plateformes en ligne : Amazon bien sûr, mais aussi les mêmes enseignes que pour les grandes surfaces culturelles (Fnac, Cultura, France Loisirs et Furet du Nord). Ces sites de vente de livres accaparent le reste du gâteau, soit plus de 50 % des ventes. Et parmi elles, Amazon représente 80 % de ce secteur.

Amazon	40 %
Grandes surfaces	25 %
Librairies indépendantes	18 %
Autres plateformes en ligne	10 %
Hypermarché	5 %

Faire face aux critiques

On écrit seul, devant une feuille ou un écran mais toujours seul. Bien sûr, certains feront lire leur texte à leur conjoint, jour après jour ou chapitre par chapitre mais l'écrivain est un solitaire qui a besoin de s'isoler pour pouvoir écrire. Quand arrive le mot FIN, cette réserve n'a plus de mise et, au contraire, doit disparaître : il est temps pour l'auteur de se mettre à nu !

La première étape est de faire lire le texte dans son entièreté, au conjoint, aux enfants et à certains amis proches. Mais cela ne suffit pas à obtenir de véritables critiques constructives car ces personnes vont lire au travers du kaléidoscope de l'affection. Il vous faut donc trouver d'autres lecteurs, qu'on appellera bêta-lecteurs, qui ne vous connaissent pas et qui ainsi vous apporteront un retour le plus sincère possible.

Suivre cette étape est important car il vous préparera à subir les critiques que votre livre recevra durant sa vie d'œuvre publiée. Oui, vous en aurez des critiques et nombreuses, espérons-le. Certaines seront gentilles, d'autres dithyrambiques et d'autres acerbes et même vicieuses. Il faut vous préparer à les recevoir et savoir y répondre le cas échéant.

Partez d'un axiome simple : la critique est constructive. Quelle qu'elle soit, oui vous avez bien lu, quoi qu'on vous dise, avec quelques mots que ce soit, le petit mot ou l'article qui sera consacré à votre ouvrage sera constructif

La critique est constructive

car on avance plus par le négatif que par le positif. Recevoir des applaudissements est bien agréable mais n'apporte rien d'autre que de la fierté et du plaisir. Recevoir un trait malicieux qui remet en question votre écriture, votre histoire ou le fait que vous écriviez est un élément d'amélioration. Bien entendu, pour que ce soit le cas, il faut que votre interlocuteur ait détaillé sa position, si ce n'est pas le cas, ne fuyez pas, au contraire interrogez-en l'auteur afin de comprendre précisément ce qu'il n'a pas aimé, ce qu'il rejette.

Les lieux de la promotion

Les dédicaces

Le rêve de tout auteur est de rencontrer le public qui le lit pour échanger avec son lectorat sur le pourquoi, le comment et l'après. Pour cela, il convient de dédicacer son livre dans des séances qui ont lieu le plus souvent en librairies mais aussi en salon, si vous êtes déjà un peu connu.

Comment trouver une dédicace

Si vous êtes édité par une maison, celle-ci organisera pour vous des séances vous permettant de vendre des ouvrages mais cela ne vous empêche pas d'en faire d'autres vous-même pour compléter le travail fait par votre éditeur.

Tous les libraires peuvent vous recevoir en dédicace mais, le but étant tout de même de vendre des livres, il est important de sélectionner celles qui ont suffisamment de place dans leurs magasins et dont l'emplacement vous garantit d'une certaine affluence. Vous pouvez ainsi privilégier les grandes enseignes de la culture autour de votre domicile (Fnac, Cultura ou Espaces Culturels Leclerc). Vous y vendrez plus de livres, les clients étant plus nombreux.

Présentez-vous au libraire en lui apportant un exemplaire de votre œuvre. Privilégiez les moments de calme dans la boutique : pas le mardi, jour de déballage des arrivages, pas à

partir de 17 h heure à laquelle les clients sont nombreux, pas le samedi non plus pour la même raison. Dites-lui qui vous êtes, résumez votre ouvrage et parlez de votre éditeur, tout cela engagera le libraire à vous faire confiance et à vous permettre cette séance. Soyez simple, décontracté, vous ne passez pas un examen ! Le libraire doit pouvoir évaluer votre capacité à animer votre séance, à ne pas rester statique derrière une table. S'il le souhaite, laissez-lui votre exemplaire afin qu'il prenne le temps de le parcourir sinon de le lire et prenez rendez-vous pour qu'il vous rende son verdict.

Lorsque le libraire vous donnera son accord, fixez le jour, idéalement un samedi, jour de grande affluence, ou un vendredi fin d'après-midi ou éventuellement un mercredi pour un livre jeunesse, et les horaires, toute la journée si possible. Vous pourrez aussi le décider à apposer l'affiche de l'annonce de votre présence dans son magasin, la caisse est un emplacement parfait pour cela avec la porte principale d'accès.

Comment dédicacer

Le jour venu, votre éditeur aura fait livrer des exemplaires de votre livre ou vous viendrez avec les vôtres. Le libraire aura préparé une table et une chaise. Assurez-vous d'être correctement placé : pas derrière un poteau ou à côté d'une pile de cartons non déballés au fond du magasin. Si l'emplacement qui vous est proposé ne vous semble pas suffisamment bon, dites-le au libraire gentiment en lui désignant l'endroit qui vous semble le plus approprié.

Installez votre table, disposez vos livres en pile et certains de manière harmonieuse. Vous pouvez ajouter un stylo et un flyer si vous en avez un qui présente votre ouvrage. Vous pouvez aussi disposer quelques bonbons ou chocolats selon la saison, cela vous aidera à attirer le chaland.

Votre hôte a préparé une chaise qu'il a positionnée derrière la table. Autant que possible, ne l'utilisez pas, restez debout

> *Regardez les visiteurs dans les yeux*

derrière votre table afin de donner une impression de mouvement et non de stagnation. Être assis engage à regarder bas, c'est-à-dire à ne pas regarder les visiteurs dans les yeux et pourtant c'est la base de la vente de vos livres. Regardez le lecteur potentiel dans les yeux afin d'engager une conversation qui débouchera le plus souvent sur une vente.

Ne restez pas statique, personne ne s'approche de quelqu'un qui a l'air occupé avec son téléphone ou qui regarde ailleurs. Accueillez les visiteurs d'un petit mot gentil, demandez-leur ce qu'ils aiment lire (après tout, vous êtes dans une librairie !) et « utilisez » les enfants comme moyen de communication, rien de tel pour attirer les parents.

Terminer sa dédicace

Et voilà, vos horaires touchent à leur fin et votre séance se termine. Il est temps maintenant de faire vos comptes avec le libraire. Une bonne dédicace d'une journée entière dans une librairie indépendante se solde généralement par une dizaine d'exemplaires vendus, dans une grande enseigne une bonne quinzaine. Votre hôte a encaissé le montant des livres vendus et il doit maintenant vous le restituer déduction faite de la commission que vous aviez négociée ensemble avant la séance. Le professionnel vous demandera certainement de lui faire une facture. Ne prenez pas peur, il s'agit simplement d'un feuillet manuscrit ou non sur lequel vous indiquerez votre nom, votre adresse, le titre de l'ouvrage, le nombre d'exemplaires vendus ainsi que le prix de vente public puis le montant de la commission versée au libraire.

N'oubliez pas, si tout s'est déroulé comme vous le souhaitiez, de proposer au libraire de revenir.

Les salons littéraires

Comment trouver un salon

Rencontrer son lectorat est aussi possible en s'inscrivant à des salons littéraires. Il en existe de très nombreux dans tout le pays, spécialisés dans des genres littéraires ou généralistes. De quoi vous assurer une belle place.

Janvier	11	Liévin (62)	Marché aux livres de Liévin
	17	Trévoux (01)	Salon du livre jeunesse de Trévoux
	17-18	Péronne (80)	Salon du livre de Péronne
	23-24	Bordeaux (33)	Salon du livre ancien de Bordeaux
	26-29	Angoulême (16)	Festival International De La Bande Dessinée
	29-30	Dainville (62)	Salon du polar régional
	30-31	Saint-Mandé (94)	Salon du livre de Saint Mandé
	30-31	Peyrolles (30)	Salon du livre de Peyrolles en Provence
Février	01-05	Saint-Paul-Trois-Châteaux (26)	Fête du livre de jeunesse
	6	Armentières (59)	Armentières en bulles
	7	Peyrehorade (40)	Des livres et nous Peyrehorade
	13-15	Arcachon (33)	Salon Littérature Jeunesse
	15	Châteauneuf-les-Martigues (13)	Le polar dans tous ses états !
	20-28	Vitrolles (13)	Festival Polar et Lumières
	27-28	Châteauneuf-les-Martigues (13)	Festival BD De Coquelles

	27-28	Saint-Denis-en-Val (45)	Bulles en Val
	28	Chaligny (54)	Autour du livre à Chaligny
	28	Chalonnes sur Loire (49)	Bulles en Loire
Mars	3-5	Clermont Ferrand (63)	Les 48 heures du polar
	5	Courpiere (63)	La Plume et le Crayon
	10-12	Beaugency (45)	Salon du livre jeunesse
	10-12	Mauves-sur-Loire (44)	Mauves en noir
	11-12	Provins (77)	Encres vives
	11-13	Saint Marcellin (38)	Salon du Livre Saint-Marcellin
	12-13	Rennes (35)	Festival Rue des Livres
	12-13	Villefranche-sur-Saône (69)	La Vague des Livres
	13	Beauchastel (07)	Rencontres autour du livre
	13	Lemainville (54)	Salon du livre Lorrain
	14-19	Châtillon-Saint-Jean (26)	L'ivre Jeunesse
	18-19	Saumur (49)	Journées nationales du livre et du vin
	19	Luc sur mer (14)	Salon du livre
	27	Barfleur (50)	Salon du livre
	28-3	Contamine-sur-Arve (74)	Printemps du livre
	31-02	Bordeaux (33)	Escale du Livre
Avril	1	Chartres (28)	Délires de livre

	1-2	Hérouville Saint-Clair (14)	Des planches et des vaches
	2-3	Cadenet (84)	Les beaux jours de la petite édition
	1-2-3	Lyon (69)	Quais Du Polar
	1-2-3	Aix en Provence (13)	Rencontres du 9ème art (BD)
	7-8-9	Montaigu (85)	Le Printemps du Livre de Montaigu
	8-9	Tain-l'Hermitage (26)	Salon des auteurs Drôme-Ardèche
	10	Evreux (27)	Actu & Histoire
	10	Figeac (46)	Salon Du Livre De Figeac
	11-12	Villard-Bonnot (38)	Salon du livre imaginaire
	13	Aix les Bains (73)	Festival du livre jeunesse
	20-21	Paris (75)	Festival du Roman Féminin
	22-24	Concarneau (29)	Festival Livre et Mer
	23-24	Île d'Oléron (17)	Le salon du livre de Château d'Oléron
	23-24	Hautvillers (51)	BD Bulles
	24	Hazebrouck (59)	Les Bouquinales
	24	Sablé sur Sarthe (72)	Sables sur livres
	28-1	Laval (38)	Festival du premier roman et des littératures contemporaines

Mai	1	Arras (59)	Salon du livre
	9-11	Deauville (14)	Festival livres & musiques
	14-15	Le Blanc (36)	Festival chapitre nature
	23 - 24	Décines (69)	Festival du Livre de jeunesse et de Bande Dessinée
	29-31	Puteaux (92)	BD de Puteaux
	30 - 31	Ste-Mère-Église (50)	Histoire et mémoires
	28-31	Cherbourg (50)	Festival du Livre de jeunesse et de Bande Dessinée
	29 - 31	Saint-Cyr/Loire (37)	Le chapiteau des livres
	30-31	Montargis (45)	BDécines
Juin	1-5	Saint-Symphorien (33)	Du sang sur la plage
	4-6	Grateloup (47)	Mange-Livres
	6	Trouville-sur-mer (14)	Trouville sur livres
	10-14	Le Havre (76)	Polar à la Plage
	12-14	Coutances (50)	Le Manchot Bulleur
	12-14	Dijon (21)	Clameurs
	13-14	Oloron Sainte Marie (64)	Journées du Livre
	13-14	Noirmoutier en île (85)	Journées du Livre

	27-28	St. Ouen les Vignes (37)	Festival BD
Juillet	3-5	Cannes (06)	Le jardin des contes
	4-5	Poitiers (86)	Salon du livre de Poitiers
	4-5	Saint Brieuc (22)	Bulles à Croquer
	4-5	Bayeux (14)	Salon livre médiéval
	10-12	Ambérieu-en-Bugey (01)	Journées de l'autobiographie
	11-12	Aubusson (23)	Salon du livre ancien
	15-19	La Baule (44)	Ecrivains bord de mer
	17-19	Concarneau (29)	Le Chien jaune
	18-19	Sablet (84)	Salon du livre
	18-19	St. Vaast-La-Hougue (50)	ancres et encres
	2526	La Fouillade (12)	Festival du Livre
	24-07 / 01-08	Sète (34)	Festival de poésie
Août	4	Cabourg (14)	Lire à Balbec
	8	Cayeux sur mer (80)	Les Estivales des mots
	14	Felletin (23)	Journée du livres
	7-16	Lorient (56)	Salon interceltique
	11-16	Razès (87)	Lectures du Fraisse
	18	Sisteron (04)	Fête du Livre
	23	Villiers sur mer (14)	Salon du livre
	27-28	Sète (34)	Festival de la bande dessinée BD Plage
	29-30	Conches en Ouche (27)	Festival de l'Eure

	30	Moustiers Ste Marie (04)	Festival BD
Septembre	3-5	Collioure (66)	D'une mer à l'autre
	3-6	Fuveau (13)	Salon littéraire BD
	6	La Ferté Vidame (28)	La Fête des livres
	12-13	Olonne sur mer (85)	Abracadabulles
	12-13	St Georges de Luzençon (12)	Luz'en Bulles
	19-20	Crespières (78)	Festival BD
	20	Bédée (25)	Pré en Bulles
	25	Collinée (22)	Arts et terres du Mené
	24-27	Moulins (03)	Festival des Illustrateurs
	26-27	Clos Vougeot (21)	Livres en vignes
	30-03	Annonay (07)	Fête du livre jeunesse Annonay Agglo
Octobre	1-2	Montfroc (26)	Festival AR'LIRE
	3-4	Bagnères-de-Bigorre (65)	Livre Pyrénéen
	6-9	Aspet (31)	La Halte Nomade du Livre Jeunesse
	8	Aumale (76)	Salon Du Livre d'Aumale
	7-8-9	Saillans (26)	Anguille sous roche
	7-8-9	Mouans-Sartoux (06)	Festival du Livre
	10-11	Prades (07)	Salon du Livre du Rocher d'écriture

	14-16	Cognac (16)	Polar le Festival
	23	Pierrefort (15)	Fête du livre Neuvéglise
	24-25	Carhaix (85)	Festival du Livre e Bretagne
Novembre	6-7-8	Chaumont (18)	Salon du livre d Chaumont
	12-13	Lys-lez-Lannoy (59)	Salon Bulles en Nord
	13	Rambouillet (78)	Salon des écrivains d Rambouillet
	13-15	Paris (75)	Salon de l'éditio indépendante
	14-15	Dourdan (91)	Lettre d'Orge
	16-29	Montauban (82)	Lettres D'automne
	18-20	Fougères (35)	Salon du livre jeuness de Fougères
	18-20	Blois (41)	BD Boum
	18-22	Creil (60)	La Ville aux Livres
	26	Loos (59)	Salon du livre
Décembre	2-5	La Baule (44)	Les Rendez-vous de L Baule
	3	Craponne (69)	Salon du livre d Craponne
	3-4	Soligny-la-Trappe (61)	Salon du livre d Perche
	4-6	Boulogne-Billancourt (92)	Salon du livre
	4-6	Montigny-lès-Cormeilles (95)	Salon du polar
	5	Villebois (01)	Le livre dans tous se états

	7	Brangues (38)	Salon du livre jeunesse Rouge cerise, noir corbeau
	12	Uzerche (19)	Salon du livre jeunesse : Le Loupiot à table
	18-20	Le Plan de Grasse (06)	Les Passeurs de Livres

Chaque organisateur dispose d'un site de présentation de son salon et vous y trouverez toutes les informations qui vous seront nécessaires ainsi qu'un formulaire d'inscription. Certains salons sont payants, le plus souvent pour de petites sommes. Certains autres ne sont ouverts qu'aux auteurs ayant un éditeur et c'est celui-ci qui devra réaliser votre inscription.

Prenez garde à ne pas vous insérer dans un salon dont le genre littéraire est très différent du vôtre car vous n'y gagneriez rien, les lecteurs le visitant étant totalement axés sur celui-ci.

Comment se présenter dans un salon

Le jour donné, vous devrez vous présenter avec vos ouvrages en main, les salons qui acceptent de gérer directement les achats d'exemplaires se comptant sur les doigts des deux mains. Les organisateurs vous auront réservé une table que vous devrez recouvrir d'une nappe, d'un papier ou de tout autre élément qui masquera celle-ci. Vous pourrez alors ajouter aux côtés de vos livres étalés et en pile, des accessoires tels que des marque-pages que vous distribuerez gratuitement ou des cartes de visite que vous aurez fait réaliser au nom de votre ouvrage et du vôtre. Vous aurez également prévu une caisse et de la monnaie pour rendre aux premiers clients qui vous achèterez un exemplaire.

Un salon est le plus fréquemment un alignement de tables et donc d'auteurs attendant patiemment que les visiteurs s'arrêtent devant eux. À la différence d'une séance de dédicace en librairies, ici le visiteur est venu pour rencontrer des auteurs et acheter des livres aussi n'est-il pas autant nécessaire d'attirer le « client ». Pour autant, ne soyez pas timide et lorsqu'un lecteur s'arrête devant vous, levez-vous, saluez-le et entamez la conversation par un « qu'est-ce que vous aimez lire ? » par exemple.

Si vous avez la chance d'avoir un très bon éditeur (maison suffisamment importante pour pouvoir vous présenter dans des salons), vous pourrez être amené à dédicacer pendant un temps donné sur le stand de votre éditeur. Dans ce cas, suivez les règles d'une séance de dédicace données précédemment.

Faire ses comptes

Vous êtes votre propre vendeur dans un salon, aussi vous encaissez directement le fruit de vos ventes, sans remise ni retenue et n'avez de comptes à rendre à personne.

Les autres événements

Nous avons vu que les librairies et les salons littéraires sont des lieux de vente pour votre livre mais il en existe encore bien d'autres dans lesquels nous trouvons pêle-mêle les bibliothèques et médiathèques, les cafés littéraires, les petits-déjeuners littéraires, les lectures ou encore les présentations en entreprises.

Les bibliothèques et médiathèques

Une bibliothèque n'est pas un lieu de vente de livres, c'est néanmoins un très bel endroit pour parler littérature et engager des lecteurs potentiels à acheter votre ouvrage. Présentez-vous au bureau de l'établissement, toujours avec un exemplaire de votre livre bien entendu, et proposez à l'administrateur du lieu de faire un colloque. Il pourra se tenir à n'importe quel moment de la journée et de la semaine. Proposez de déposer une affiche (A3) pour présenter l'événement. N'attendez pas d'aide particulière de la part des bibliothécaires qui ne sont pas là pour vous aider.

À l'heure dite, vous recevrez vos visiteurs et aborderez le sujet qui sous-tend votre ouvrage. Vous définirez (sans tout dévoiler) les grandes lignes de votre ouvrage et lancerez la discussion sur un sujet précis.

À la fin de la réunion, qui durera ce qui sera nécessaire tant qu'un interlocuteur aura de quoi l'alimenter, vous remercierez chaque personne pour sa participation et lui donnerez soit une carte de visite soit le lien permettant d'acquérir votre ouvrage.

Les autres événements

Dans tous les autres cas, il vous faudra faire preuve d'imagination pour trouver les lieux adaptés à votre livre. Ainsi, vous pouvez démarcher les plus grands cafés de votre secteur, ceux qui ont une belle salle, et leur proposer une lecture-débat. Vous pourrez alors en ayant sélectionné un ou plusieurs passages de votre ouvrage, lancer un sujet de débat (dont les habitués de ces établissements sont friands). De la même manière que pour les bibliothèques, vous distribuerez à la fin de la séance des cartes de visite ou le lien où trouver votre livre.

Et si vous donniez une conférence ?

Mais oui, vous pouvez donner une conférence, pour cela il vous suffit d'avoir un sujet, et celui détaillé dans votre livre, celui qui vous tient à cœur au point d'en avoir écrit des nouvelles, un roman ou une thèse peut-être, en est un parfait.

Pour cela, il vous faut un peu d'imagination créative pour trouver le lieu le mieux adapté. Il peut s'agir de la grande salle de la mairie de votre commune, d'un gymnase, d'une salle des fêtes ou d'un local utilisé par une association. Tous ces lieux doivent vous être prêtés parfaitement gratuitement. Pour cela, vous devrez convaincre naturellement aussi vous devrez prendre votre bâton de pèlerin pour rencontrer les responsables et leur expliquer ce que vous comptez faire.

Une fois le local désigné, il vous faudra trouver le public. Pour cela, vous devrez préparer des affiches que vous installerez dans les locaux officiels comme les mairies, sur des arrêts de bus ou sur les portes des commerces de la ville. Vous pourrez également utiliser les réseaux sociaux pour convaincre en diffusant un événement à date. Enfin, pour que tout soit prêt il manque d'inviter quelques personnalités du secteur et les journalistes locaux qui couvriront l'événement.

Vous n'aurez plus alors qu'à vous faire aider de quelques proches pour l'installation de la sono, les réglages nécessaires et la mise en place de vos livres en pile sur une table en fond de salle, du côté de la porte de sortie. L'un de vos amis tiendra la caisse et encaissera le montant de chaque vente que vous dédicacerez avec plaisir dès votre conférence donnée.

Les réseaux sociaux

Incontournables ! Comment aujourd'hui penser vendre des livres en faisant l'impasse sur les réseaux sociaux ? Impensable. Les réseaux que nous utilisons tous nous regroupent par affinité, ainsi un lecteur aura des amis lecteurs et un auteur aura des followers auteurs. Nous déclarons aux tutelles (Facebook, Tweeter, Instagram, LinkedIn ou Viadeo) nos loisirs et nos centres d'intérêt aussi pouvons-nous utiliser ces critères pour sélectionner les internautes à qui nous allons proposer d'acquérir nos ouvrages.

Créer une page professionnelle

La première chose à réaliser est la création d'une page Facebook maître incontesté des réseaux sociaux que vous utiliserez comme moteur pour les autres. En partant de votre compte personnel, vous n'aurez qu'à créer une page. Une fois cela fait, vous pourrez commencer à l'alimenter d'informations concernant votre livre et vous-même en tant qu'auteur. N'omettez pas de remplir l'à-propos qui est la fiche d'identification de votre page et d'indiquer tout ce qui est possible afin de générer un maximum de liens sur votre nouvel espace.

Diffuser votre page

Pour qu'une page paraisse sérieuse, il faut qu'elle propose au moins une publication par jour, attendez d'en avoir suffisamment pour commencer à attirer de l'audience sur celle-ci. Vous pourrez alors inviter vos propres amis, vous pourrez aussi proposer à tous les internautes qui vont réagir à l'une de vos publications de devenir fan de votre page.

Enfin, vous pourrez partager vos publications sur des groupes constitués de lecteurs. Ceux-ci se réunissent virtuellement pour se conseiller des lectures et échanger sur les auteurs, c'est l'endroit parfait pour vous faire connaître.

Vous pouvez également relier votre page Facebook à Tweeter ainsi qu'à Instagram afin que chacune de vos publications soit reprise sur ces deux réseaux automatiquement.

Les acteurs de la promotion

Se faire aider est le maître-mot de la promotion d'un ouvrage que vous soyez autoédité ou publié par une maison d'édition. Et les acteurs prêts à le faire existent : les journalistes et les blogueurs. Et pourquoi ne pas s'aventurer dans les médias parlés comme la radio ou la télévision ?

Les journaux

Les journaux papier se vendent de moins en moins au profit des journaux numériques qu'on trouve sur l'internet. Ils existent pourtant toujours et leur audience, dès lors qu'on s'éloigne des grandes villes, est suffisamment forte pour qu'elle ne soit pas à négliger.

Les journaux locaux

Chaque journaliste local est à l'affût d'articles à produire dans son quotidien aussi n'aurez-vous aucun mal à obtenir une demie, voire une page entière dans celui de votre secteur. Un simple coup de téléphone à la rédaction vous permettra de prendre rendez-vous avec le journaliste, le plus souvent à votre domicile mais la rencontre peut se dérouler également au siège du journal.

Département	Journal
01 - Ain	L'AIN AGRICOLE
01 - Ain	LE COURRIER - ECONOMIE
01 - Ain	LE DAUPHINE LIBERE
01 - Ain	LE JOURNAL DU BUGEY
01 - Ain	LE JOURNAL DE LA COTIERE
01 - Ain	LE PAYS GESSIEN
01 - Ain	LE PROGRES DIMANCHE
01 - Ain	LE PROGRES
01 - Ain	LA TRIBUNE REPUBLICAINE
01 - Ain	LA VOIX DE L'AIN
02 - Aisne	LE COURRIER PICARD
02 - Aisne	L'AGRICULTEUR DE L'AISNE

02 - Aisne	L'AISNE NOUVELLE
02 - Aisne	LE COURRIER-LA GAZETTE
02 - Aisne	LE DEMOCRATE DE L'AISNE
02 - Aisne	PICARDIE - LA GAZETTE
02 - Aisne	LA THIERACHE
02 - Aisne	L'UNION
02 - Aisne	LA VOIX DU NORD
03 - Allier	LA SEMAINE DE L'ALLIER
03 - Allier	LE NOUVEL ECHO
03 - Allier	LES AFFICHES DE L'ALLIER
03 - Allier	L'ALLIER AGRICOLE
03 - Allier	L'AURORE DU BOURBONNAIS
03 - Allier	LE BOURBONNAIS RURAL
03 - Allier	LE GAZETTE BOURBONNAISE
03 - Allier	MONTAGNE-CENTRE FRANCE
03 - Allier	MONTAGNE/CENTRE-FRANCE DIMANCH
04 - Alpes de Haute Provence	L'ACTION PAYSANNE
04 - Alpes de Haute Provence	LE DAUPHINE LIBERE
04 - Alpes de Haute Provence	LA MARSEILLAISE
04 - Alpes de Haute Provence	NICE MATIN
04 - Alpes de Haute Provence	LES PETITES AFFICHES
04 - Alpes de Haute Provence	LA PROVENCE
04 - Alpes de Haute Provence	SEMAINE PROVENCE/TPBM
04 - Alpes de Haute Provence	LE SISTERON JOURNAL
05 - Hautes Alpes	ALPES ET MIDI

05 - Hautes Alpes	LE DAUPHINE LIBERE
05 - Hautes Alpes	SEMAINE PROVENCE/TPBM
06 - Alpes Maritimes	L'AVENIR COTE D'AZUR
06 - Alpes Maritimes	LE CANNOIS
06 - Alpes Maritimes	MONITEUR DES TP & BATIMENT
06 - Alpes Maritimes	NICE MATIN
06 - Alpes Maritimes	LE PAYS DES ALPES MARITIMES
06 - Alpes Maritimes	PATRIOTE COTE D'AZUR
06 - Alpes Maritimes	PTES AFFICHES ALPES MARITIMES
06 - Alpes Maritimes	LA TRIBUNE LE BULLETIN DE LA C
07 - Ardèche	AVENIR AGRICOLE DE L'ARDECHE
07 - Ardèche	LE DAUPHINE LIBERE
07 - Ardèche	L'ECHO & VALENTINOIS REUNIS
07 - Ardèche	LE JOURNAL DE TOURNON-TAIN
07 - Ardèche	LE REVEIL DU VIVARAIS
07 - Ardèche	TERRE VIVAROISE
07 - Ardèche	LA TRIBUNE
08 - Ardennes	L'ARDENNAIS
08 - Ardennes	PETITES AFFICHES MATOT-BRAINE
08 - Ardennes	L'UNION
08 - Ardennes	AGRI-ARDENNES

09 - Ariège	LA DEPECHE DU MIDI
09 - Ariège	LA GAZETTE ARIEGEOISE
10 - Aube	LA DEPECHE DE L'AUBE
10 - Aube	L'EST ECLAIR
10 - Aube	LIBERATION CHAMPAGNE
10 - Aube	LIBERATION CHAMPAGNE DIMANCHE
10 - Aube	PETITES AFFICHES MATOT BRAINE
10 - Aube	REVUE AGRICOLE DE L'AUBE
11 - Aude	LE PETIT JOURNAL
11 - Aude	L'AGRI PYRENEES ORIENTALES
11 - Aude	L'AUDE ET LES CORBIERES
11 - Aude	LE COURRIER DE LA CITE
11 - Aude	LA CROIX DU MIDI
11 - Aude	LA DEPECHE DU MIDI
11 - Aude	LA DEPECHE DU MIDI DIMANCHE
11 - Aude	L'ECHO DU LANGUEDOC
11 - Aude	L'INDEPENDANT
11 - Aude	LA JOURNEE VINICOLE
11 - Aude	LIBERATION
11 - Aude	LE LIMOUXIN
11 - Aude	LE MIDI LIBRE
11 - Aude	LE MIDI LIBRE DIMANCHE
11 - Aude	LE PAYSAN DU MIDI
11 - Aude	LA SEMAINE DU MINERVOIS

12 - Aveyron	LE JOURNAL DE MILLAU
12 - Aveyron	LE BULLETIN D'ESPALION
12 - Aveyron	CENTRE-PRESSE
12 - Aveyron	LA DEPECHE DU MIDI
12 - Aveyron	LA DEPECHE DU MIDI DIMANCHE
12 - Aveyron	LE MIDI LIBRE
12 - Aveyron	LE MIDI LIBRE DIMANCHE
12 - Aveyron	LE PROGRES ST AFRICAIN
12 - Aveyron	LE VILLEFRANCHOIS
12 - Aveyron	LA VOLONTE PAYSANNE
12 - Aveyron	LE PETIT JOURNAL
13 - Bouches du Rhône	L'AGRICULTEUR PROVENCAL
13 - Bouches du Rhône	LE COURRIER D'AIX
13 - Bouches du Rhône	LE COMMERCIAL PROVENCE
13 - Bouches du Rhône	LIBERTE L'HOMME DE BRONZE
13 - Bouches du Rhône	MARSEILLE L'HEBDO
13 - Bouches du Rhône	LA MARSEILLAISE
13 - Bouches du Rhône	NOUVELLES PUBLICATIONS
13 - Bouches du Rhône	LA PROVENCE
13 - Bouches du Rhône	LE REGIONAL
13 - Bouches du Rhône	SEMAINE PROVENCE/TPBM
14 - Calvados	OUEST-FRANCE
14 - Calvados	LE PAYS D'AUGE
14 - Calvados	LA RENAISSANCE LE BESSIN
14 - Calvados	L'EVEIL DE LISIEUX - COTE

14 - Calvados	LIBERTE LE BONHOMME LIBRE
14 - Calvados	LES NOUVELLES DE FALAISE
14 - Calvados	L'ORNE COMBATTANTE
14 - Calvados	LA VOIX LE BOCAGE
14 - Calvados	AGRICULTEUR NORMAND
15 - Cantal	LA DEPECHE D'AUVERGNE
15 - Cantal	MONTAGNE-CENTRE FRANCE
15 - Cantal	MONTAGNE CENTRE FRANCE DIMANCH
15 - Cantal	LE REVEIL CANTALIEN
15 - Cantal	UNION AGRICOLE RURALE CANTAL
15 - Cantal	LA VOIX DU CANTAL
16 - Charente	L'AVENIR
16 - Charente	LA CHARENTE LIBRE
16 - Charente	LE COURRIER FRANCAIS
16 - Charente	LE CONFOLENTAIS
16 - Charente	SUD-OUEST
16 - Charente	LA VIE CHARENTAISE
17 - Charente Maritime	L'AGRICULTEUR CHARENTAIS
17 - Charente Maritime	L'ANGERIEN LIBRE
17 - Charente Maritime	LE COURRIER FRANCAIS
17 - Charente Maritime	LA HAUTE SAINTONGE
17 - Charente Maritime	L'HEBDO DE LA CHARENTE MARITIM
17 - Charente Maritime	LE LITTORAL

17 - Charente Maritime	LE PHARE DE RE
17 - Charente Maritime	SUD-OUEST
18 - Cher	NVELLE REPUBLIQUE C-O
18 - Cher	LA VOIX DU SANCERROIS
18 - Cher	LE BERRY REPUBLICAIN
18 - Cher	CENTRE FRANCE BERRY (D)
18 - Cher	L'ECHO DU BERRY
18 - Cher	L'INFORMATION AGRICOLE DU CHER
18 - Cher	LE JOURNAL DE GIEN
19 - Corrèze	CORREZE REPUBLICAINE-SOCIALIST
19 - Corrèze	L'ECHO DE LA CORREZE
19 - Corrèze	MONTAGNE-CENTRE FRANCE
19 - Corrèze	MONTAGNE/CENTRE FRANCE DIMANCH
19 - Corrèze	LE POPULAIRE DU CENTRE
19 - Corrèze	LA VIE CORREZIENNE
19 - Corrèze	L'UNION PAYSANNE
2A - Corse du Sud	CORSE MATIN / NICE MATIN
2A - Corse du Sud	L'INFORMATEUR CORSE
2A - Corse du Sud	LE JOURNAL DE LA CORSE
2A - Corse du Sud	LE PETIT BASTIAIS
2A - Corse du Sud	ARRITTI
2B - Haute Corse	CORSE MATIN / NICE MATIN
2B - Haute Corse	L'INFORMATEUR CORSE
2B - Haute Corse	LE JOURNAL DE LA CORSE

2B - Haute Corse	LE PETIT BASTIAIS
21 - Côte d'Or	L'AUXOIS LIBRE-BOURGOGNE LIBRE
21 - Côte d'Or	LE BIEN PUBLIC
21 - Côte d'Or	LE CHATILLONNAIS ET L'AUXOIS
21 - Côte d'Or	JOURNAL PALAIS DE BOUR.
21 - Côte d'Or	TERRES DE BOURGOGNE
21 - Côte d'Or	ECO PLUS
22 - Côtes d'Armor	OUEST-FRANCE
22 - Côtes d'Armor	LE COURRIER INDEPENDANT
22 - Côtes d'Armor	ECHO DE L'ARMOR & ARGOAT
22 - Côtes d'Armor	PETIT BLEU DES COTES D'ARMOR
22 - Côtes d'Armor	LE PENTHIEVRE
22 - Côtes d'Armor	LA PRESSE D'ARMOR
22 - Côtes d'Armor	LE TREGOR
22 - Côtes d'Armor	LE POHER HEBDO
22 - Côtes d'Armor	LE PAYSAN BRETON
22 - Côtes d'Armor	L'HEBDOMADAIRE D'ARMOR
22 - Côtes d'Armor	LE TELEGRAMME DE BREST
22 - Côtes d'Armor	TERRA (anciennement ESPACE OUEST)
23 - Creuse	LE COURRIER FRANCAIS
23 - Creuse	LA CREUSE AGRICOLE & RURALE
23 - Creuse	L'ECHO DE LA CREUSE

23 - Creuse	MONTAGNE-CENTRE FRANCE
23 - Creuse	MONTAGNE/CENTRE FRANCE DIMANCH
23 - Creuse	LE POPULAIRE DU CENTRE
24 - Dordogne	LE COURRIER FRANCAIS
24 - Dordogne	LE DEMOCRATE INDEPENDANT
24 - Dordogne	DORDOGNE LIBRE
24 - Dordogne	L'ECHO DE LA DORDOGNE
24 - Dordogne	L'ECHO DU RIBERACOIS
24 - Dordogne	L'ESSOR SARLADAIS
24 - Dordogne	LE PERIGORD
24 - Dordogne	SUD OUEST
24 - Dordogne	LA VIE ECONOMIQUE
25 - Doubs	L'ALSACE LE PAYS
25 - Doubs	L'ALSACE LE PAYS LUNDI
25 - Doubs	L'EST REPUBLICAIN
25 - Doubs	L'EST REPUBLICAIN LUNDI
25 - Doubs	LA TERRE DE CHEZ NOUS
26 - Drôme	L'AGRICULTURE DROMOISE
26 - Drôme	LE CRESTOIS-VAL DE DROME
26 - Drôme	LE DAUPHINE LIBERE
26 - Drôme	DROME INFO HEBDO - PEUPLE LIBR
26 - Drôme	L'ECHO & VALENTINOIS REUNIS
26 - Drôme	L'IMPARTIAL DE LA DROME

26 - Drôme	JOURNAL DU DIOIS & DE LA DROME
26 - Drôme	LA TRIBUNE DE MONTELIMAR
27 - Eure	LE COURRIER DE L'EURE
27 - Eure	LA DEPECHE D'EVREUX
27 - Eure	DEPECHE DE LOUVIERS
27 - Eure	LE DEMOCRATE VERNONNAIS
27 - Eure	DEPECHE DE VERNEUIL
27 - Eure	EURE INFOS
27 - Eure	L'EVEIL NORMAND
27 - Eure	L'EVEIL DE PONT AUDEMER
27 - Eure	L'IMPARTIAL DES ANDELYS
27 - Eure	LE REVEIL NORMAND
27 - Eure	PARIS NORMANDIE
27 - Eure	L'EURE AGRICOLE
28 - Eure et Loir	L'ACTION REPUBLICAINE (Edition de DREUX)
28 - Eure et Loir	L'ACTION REPUBLICAINE (Edition de NOGENT)
28 - Eure et Loir	LE PERCHE
28 - Eure et Loir	LA REPUBLIQUE DU CENTRE
28 - Eure et Loir	L'ECHO DE BROU
28 - Eure et Loir	L'ECHO REPUBLICAIN
28 - Eure et Loir	L'ECHO REPUBLICAIN AO
28 - Eure et Loir	HORIZON CENTRE IDF
28 - Eure et Loir	LE PERCHE
29 - Finistère	OUEST-FRANCE

29 - Finistère	LE PAYSAN BRETON
29 - Finistère	LE POHER HEBDO
29 - Finistère	LE PROGRES DE CORNOUAILLE
29 - Finistère	LE TELEGRAMME DE BREST
29 - Finistère	CAP FINISTERE (le Breton Socialiste)
29 - Finistère	LE COURRIER DU LEON & TREGUIER
29 - Finistère	TERRA (anciennement ESPACE OUEST)
30 - Gard	CEVENNES MAGAZINE
30 - Gard	LE COMMERCIAL DU GARD
30 - Gard	LA CROIX DU MIDI
30 - Gard	LA GAZETTE DE NIMES
30 - Gard	GARD ECO
30 - Gard	LIBERTE-L'HOMME DE BRONZE
30 - Gard	LA MARSEILLAISE
30 - Gard	LE MIDI LIBRE
30 - Gard	MIDI LIBRE DIMANCHE
30 - Gard	LE PAYSAN DU MIDI
30 - Gard	LE REVEIL DU MIDI
30 - Gard	LE REPUBLICAIN D'UZES & DU GARD
31 - Haute Garonne	LE PETIT JOURNAL
31 - Haute Garonne	LA VOIX DU MIDI
31 - Haute Garonne	LA DEPECHE DU MIDI

31 - Haute Garonne	LA DEPECHE DU MIDI DIMANCHE
31 - Haute Garonne	LE JOURNAL TOULOUSAIN
31 - Haute Garonne	LA LIBERATION DU COMMINGES
31 - Haute Garonne	L'OPINION INDEPENDANTE
31 - Haute Garonne	LA GAZETTE DU MIDI
32 - Gers	LE PETIT JOURNAL
32 - Gers	VOIX DU GERS
32 - Gers	LA DEPECHE DU MIDI DIMANCHE
32 - Gers	LA DEPECHE DU MIDI
32 - Gers	SUD OUEST
33 - Gironde	LA DEPECHE DU BASSIN
33 - Gironde	SUD OUEST ARDT ARCACHON
33 - Gironde	LE COURRIER FRANCAIS
33 - Gironde	LES ECHOS JUDICIAIRES GIRONDIN
33 - Gironde	HAUTE-GIRONDE
33 - Gironde	LE JOURNAL DU MEDOC
33 - Gironde	LES NOUVELLES DE BORDEAUX
33 - Gironde	LE RESISTANT DE LIBOURNE
33 - Gironde	LE REPUBLICAIN
33 - Gironde	SUD OUEST ARDT BLAYES
33 - Gironde	SUD OUEST ARDT LANGON
33 - Gironde	SUD OUEST ARDT LESPARRE
33 - Gironde	SUD OUEST ARDT LIBOURNE

33 - Gironde	LA VIE ECONOMIQUE
34 - Hérault	LA GAZETTE DE SETE
34 - Hérault	AGGLO-RIEUSE
34 - Hérault	L'AGATHOIS
34 - Hérault	LA CROIX DU MIDI
34 - Hérault	LA GAZETTE ECONOMIQUE
34 - Hérault	LA GAZETTE DE MONTPELLIER
34 - Hérault	L'HERAULT INFORMATION HEBDO
34 - Hérault	L'HERAULT JURIDIQUE ET ECONOMI
34 - Hérault	L'HERAULT ECONOMIE AFFAIRES
34 - Hérault	LA JOURNEE VINICOLE
34 - Hérault	LA MARSEILLAISE
34 - Hérault	LE MIDI LIBRE
34 - Hérault	MIDI LIBRE DIMANCHE
34 - Hérault	LE PAYSAN DU MIDI
34 - Hérault	LA SEMAINE DU MINERVOIS
35 - Ille et Vilaine	OUEST-FRANCE
35 - Ille et Vilaine	LE PAYS MALOUIN
35 - Ille et Vilaine	LA CHRONIQUE REPUBLICAINE
35 - Ille et Vilaine	ECLAIREUR DE CHATEAUBRIANT
35 - Ille et Vilaine	LA GAZETTE DE LA MANCHE
35 - Ille et Vilaine	LE JOURNAL DE VITRE
35 - Ille et Vilaine	HEBDOMADAIRE ARMOR

35 - Ille et Vilaine	LES INFOS-PAYS DE REDON
35 - Ille et Vilaine	TERRA (anciennement ESPACE OUEST)
35 - Ille et Vilaine	LE PAYSAN BRETON
35 - Ille et Vilaine	7 JOURS PETITES AFFICHES
36 - Indre	NVELLE REPUBLIQUE C-O
36 - Indre	L'AURORE PAYSANNE
36 - Indre	CENTRE FRANCE-BERRY (D)
36 - Indre	L'ECHO DU BERRY
37 - Indre et Loire	NVELLE REPUBLIQUE C-O
37 - Indre et Loire	LA RENAISSANCE LOCHOISE
37 - Indre et Loire	TERRE DE TOURAINE
37 - Indre et Loire	L'ACTION AGRICOLE DE TOURAINE
37 - Indre et Loire	LE COURRIER FRANCAIS
37 - Indre et Loire	LA VOIX DU PEUPLE
38 - Isère	LE COURRIER DE BOURGOIN JALLIEU
38 - Isère	AFFICHES GRENOBLES & DAUPHINE
38 - Isère	LE DAUPHINE LIBERE
38 - Isère	L'ESSOR DE L' ISERE
38 - Isère	LE MEMORIAL
38 - Isère	TERRE DAUPHINOISE
38 - Isère	LA TRIBUNE DE VIENNE
38 - Isère	VIENNE JOURNAL
39 - Jura	L'INDEPENDANT DU HAUT JURA

39 - Jura	L'INDEPENDANT DU LOUHANNAIS
39 - Jura	LE JURA AGRICOLE ET RURAL
39 - Jura	LE COURRIER
39 - Jura	LE PROGRE-LES DEPECHES DIMANCH
39 - Jura	LE PROGRES-LES DEPECHES
39 - Jura	LA VOIX DU JURA
40 - Landes	LES ANNONCES LANDAISES
40 - Landes	LE COURRIER FRANCAIS
40 - Landes	LES PETITES AFFICHES LANDAISES
40 - Landes	LE SILLON
40 - Landes	SUD OUEST
40 - Landes	LE TRAVAILLEUR LANDAIS
40 - Landes	LA VIE ECONOMIQUE
41 - Loir et Cher	NVELLE REPUBLIQUE C-O
41 - Loir et Cher	LA RENAISSANCE DU LOIR & CHER
41 - Loir et Cher	ECHO DE VIBRAYE
41 - Loir et Cher	HORIZONS CENTRE IDF
42 - Loire	L'ESSOR
42 - Loire	LA GAZETTE DE LA LOIRE
42 - Loire	LA LIBERTE
42 - Loire	LE PAYS ENTRE LOIRE ET RHONE
42 - Loire	LES PAYSANS DE LA LOIRE
42 - Loire	LE PAYS ROANNAIS

42 - Loire	PETITES AFFICHES DE LA LOIRE
42 - Loire	LE REVEIL DU VIVARAIS
42 - Loire	LA TRIBUNE-LE PROGRES
43 - Haute-Loire	CENTRE DIMANCHE
43 - Haute-Loire	L'EVEIL DE HAUTE LOIRE
43 - Haute-Loire	L'EVEIL HAUTE LOIRE DIMANCHE
43 - Haute-Loire	LA GAZETTE DE LA HAUTE LOIRE
43 - Haute-Loire	LA HAUTE LOIRE PAYSANNE
43 - Haute-Loire	MONTAGNE CENTRE FRANCE
43 - Haute-Loire	MONTAGNE CENTRE FRANCE DIMANCH
43 - Haute-Loire	LE RENOUVEAU
43 - Haute-Loire	LA RUCHE
43 - Haute-Loire	LA TRIBUNE - LE PROGRES
44 - Loire Atlantique	OUEST-FRANCE
44 - Loire Atlantique	LE COURRIER DU PAYS DE RETZ
44 - Loire Atlantique	L'ECHO D'ANCENIS
44 - Loire Atlantique	ECLAIREUR DE CHATEAUBRIANT
44 - Loire Atlantique	L'ECHO DE LA PRESQU'ILE
44 - Loire Atlantique	L'HEBDO DE SEVRE & MAINE
44 - Loire Atlantique	LOIRE ATLANTIQUE AGRICOLE
44 - Loire Atlantique	L'ECHO DE L'OUEST

44 - Loire Atlantique	LES INFOS
44 - Loire Atlantique	L'INFORMATEUR JUDICIAIRE
44 - Loire Atlantique	MONITEUR DES TP & BATIMENT
45 - Loiret	LE COURRIER DU LOIRET
45 - Loiret	L'ECLAIREUR DU GATINAIS
45 - Loiret	LE JOURNAL DE GIEN
45 - Loiret	LE LOIRET AGRICOLE ET RURAL
45 - Loiret	LA REPUBLIQUE DU CENTRE
46 - Lot	LE PETIT JOURNAL
46 - Lot	LA DEPECHE DU MIDI
46 - Lot	LA DEPECHE DU MIDI DIMANCHE
46 - Lot	LA SEMAINE DU LOT
46 - Lot	LA VIE QUERCYNOISE
47 - Lot-et-Garonne	LE COURRIER FRANCAIS
47 - Lot-et-Garonne	LA DEPECHE DU MIDI
47 - Lot-et-Garonne	LA DEPECHE DU MIDI DIMANCHE
47 - Lot-et-Garonne	LA FEUILLE
47 - Lot-et-Garonne	GAZETTE DE LA VALLEE DU LOT
47 - Lot-et-Garonne	LE PETIT BLEU LOT & GARONNE
47 - Lot-et-Garonne	LE REPUBLICAIN
47 - Lot-et-Garonne	SUD-OUEST
47 - Lot-et-Garonne	LA VIE ECONOMIQUE
48 - Lozère	L'EVEIL HEBDO

48 - Lozère	LA LOZERE NOUVELLE
48 - Lozère	LE MIDI LIBRE
48 - Lozère	MIDI LIBRE DIMANCHE
48 - Lozère	LE REVEIL LOZERE
49 - Maine et Loire	OUEST-FRANCE
49 - Maine et Loire	LE COURRIER DE L'OUEST
49 - Maine et Loire	L'ANJOU AGRICOLE
49 - Maine et Loire	L'ECHO D'ANCENIS
49 - Maine et Loire	LE HAUT ANJOU
50 - Manche	OUEST-FRANCE
50 - Manche	LA PRESSE DE LA MANCHE
50 - Manche	LA GAZETTE DE LA MANCHE
50 - Manche	LA MANCHE LIBRE
50 - Manche	AGRICULTEUR NORMAND
51 - Marne	LA MARNE AGRICOLE
51 - Marne	PETITES AFFICHES MATOT-BRAINE
51 - Marne	L'UNION
52 - Haute-Marne	L'AFFRANCHI
52 - Haute-Marne	L'AVENIR AGRICOLE ET RURAL
52 - Haute-Marne	LA CROIX DE LA HAUTE MARNE
52 - Haute-Marne	LA HAUTE MARNE DIMANCHE
52 - Haute-Marne	LE JOURNAL DE HAUTE MARNE
53 - Mayenne	OUEST-FRANCE
53 - Mayenne	LE PUBLICATEUR LIBRE

53 - Mayenne	AVENIR AGRICOLE DE LA MAYENNE
53 - Mayenne	LE COURRIER DE LA MAYENNE
53 - Mayenne	LE HAUT ANJOU
54 - Meurthe-et-Moselle	L'EST REPUBLICAIN
54 - Meurthe-et-Moselle	EST REPUBLICAIN LUNDI
54 - Meurthe-et-Moselle	LE PAYSAN LORRAIN
54 - Meurthe-et-Moselle	LE REPUBLICAIN LORRAIN
54 - Meurthe-et-Moselle	LES TABLETTES LORRAINES
55 - Meuse	L'ABEILLE
55 - Meuse	LA DEPECHE MEUSIENNE
55 - Meuse	L'EST REPUBLICAIN
55 - Meuse	L'EST REPUBLICAIN LUNDI
55 - Meuse	MEUSE ECHOS
55 - Meuse	LA VIE AGRICOLE
56 - Morbihan	OUEST-FRANCE
56 - Morbihan	LE COURRIER INDEPENDANT
56 - Morbihan	L'ECHO DE LA PRESQU'ILE
56 - Morbihan	LA GAZETTE DU MORBIHAN
56 - Morbihan	LE PLOERMELAIS
56 - Morbihan	PONTIVY JOURNAL
56 - Morbihan	LE TELEGRAMME DE BREST
56 - Morbihan	LE PAYSAN BRETON
56 - Morbihan	TERRA (anciennement PAYSAN MORBIHANNAIS)
56 - Morbihan	LES INFOS-PAYS DE PLOERMEL

57 - Moselle	SARRE HEBDO
57 - Moselle	AFFICHES D'ALSACE LORRAINE
57 - Moselle	L'AMI DES FOYERS CHRETIENS
57 - Moselle	LA MOSELLE AGRICOLE
57 - Moselle	LE REPUBLICAIN LORRAIN
57 - Moselle	LA SEMAINE DE METZ-SILLON MOSELLAN
58 - Nièvre	L'ECHO CHARITOIS
58 - Nièvre	LE JOURNAL DU CENTRE
58 - Nièvre	LE JOURNAL DU CENTRE DIMANCHE
58 - Nièvre	LE REGIONAL DE COSNES
58 - Nièvre	TERRES DE BOURGOGNE
58 - Nièvre	LA VOIX DU SANCERROIS
59 - Nord	LE JOURNAL DES FLANDRES
59 - Nord	LIBERTE
59 - Nord	NORD-ECLAIR
59 - Nord	L'OBSERVATEUR
59 - Nord	L'OBSERVATEUR DU VALENCIENNOIS
59 - Nord	LE PHARE DUNKERQUOIS
59 - Nord	LA VOIX DU NORD
59 - Nord	LE COURRIER DE FOURMIES
59 - Nord	GAZETTE DE LA REGION NORD
59 - Nord	INDICATEUR DES FLANDRES

59 - Nord	L'OBSERVATEUR DU DOUAISIS
59 - Nord	L'OBSERVATEUR DU CAMBRESIS
59 - Nord	LA SAMBRE
59 - Nord	LA CROIX DU NORD MAGAZINE
60 - Oise	LE REVEIL DE NEUFCHATEL
60 - Oise	ECHO DU THELLE
60 - Oise	LE BONHOMME PICARD
60 - Oise	LE COURRIER PICARD
60 - Oise	L'OBSERVATEUR DE BEAUVAIS
60- Oise	L'INCONTOURNABLE
60 - Oise	L'OISE AGRICOLE
60 - Oise	L'OISE HEBDO
60 - Oise	LE PARISIEN
61 - Orne	OUEST-FRANCE
61 - Orne	LE PERCHE
61 - Orne	L'ORNE COMBATTANTE
61 - Orne	L'ORNE HEBDO
61 - Orne	L'ACTION REPUBLICAINE (Edition NOGENT)
61 - Orne	LE JOURNAL DE L'ORNE
61 - Orne	LE PUBLICATEUR LIBRE
61 - Orne	LE REVEIL NORMAND
61 - Orne	AGRICULTEUR NORMAND
62 - Pas-de-Calais	NORD LITTORAL
62 - Pas-de-Calais	L'ABEILLE DE LA TERNOISE

62 - Pas-de-Calais	AGRICULTURE HORIZON
62 - Pas-de-Calais	L'AVENIR DE L'ARTHOIS
62 - Pas-de-Calais	LA CROIX DU NORD MAGAZINE
62 - Pas-de-Calais	L'ECHO DE LA LYS
62 - Pas-de-Calais	L'INDEPENDANT DU PAS DE CALAIS
62 - Pas-de-Calais	LE JOURNAL DE MONTREUIL
62 - Pas-de-Calais	NORD ECLAIR
62 - Pas-de-Calais	L'OBSERVATEUR DE L'ARRAGEOIS
62 - Pas-de-Calais	ECHOS DU TOUQUET
62 - Pas-de-Calais	LE REVEIL DE BERCK
62 - Pas-de-Calais	LA SEMAINE DANS LE BOULONNAIS
62 - Pas-de-Calais	LE SYNDICAT AGRICOLE
62 - Pas-de-Calais	LA VOIX DU NORD
63 - Puy-de-Dôme	LE PAYSAN AUVERGNE
63 - Puy-de-Dôme	L'ANNONCEUR LEGAL AUVERGNE
63 - Puy-de-Dôme	L'AUVERGNE AGRICOLE
63 - Puy-de-Dôme	CENTRE FRANCE DIMANCHE
63 - Puy-de-Dôme	LA GAZETTE DE THIERS
63 - Puy-de-Dôme	MONTAGNE CENTRE FRANCE
63 - Puy-de-Dôme	LES PETITES AFFICHES D'AUVERGN
63 - Puy-de-Dôme	LE SEMEUR HEBDO
63 - Puy-de-Dôme	LA RUCHE

64 - Pyrénées-Atlantiques	HERRIA
64 - Pyrénées-Atlantiques	SUD OUEST ARDT PAYS BASQUE
64 - Pyrénées-Atlantiques	LE COURRIER FRANCAIS
64 - Pyrénées-Atlantiques	L'ECHO BEARNAIS
64 - Pyrénées-Atlantiques	L'ECLAIR DES PYRENEES
64 - Pyrénées-Atlantiques	LE JOURNAL DE SAINT PALAIS
64 - Pyrénées-Atlantiques	LES PETITES AFFICHES BEARNAISE
64 - Pyrénées-Atlantiques	LES PETITES AFFICHES BASQUES
64 - Pyrénées-Atlantiques	LA REPUBLIQUE DES PYRENEES
64 - Pyrénées-Atlantiques	LA SEMAINE DU PAYS BASQUE
64 - Pyrénées-Atlantiques	SILLON DES LANDES & PYRENEES
64 - Pyrénées-Atlantiques	SUD OUEST ARDT BEARN
65 - Hautes-Pyrénées	LA DEPECHE DU MIDI
65 - Hautes-Pyrénées	L'ESSOR BIGOURDAN
65 - Hautes-Pyrénées	LA MONTAGNE
65 - Hautes-Pyrénées	LA NOUVELLE REPUBLIQUE PYRENEE
65 - Hautes-Pyrénées	LA SEMAINE DES PYRENEES
66 - Pyrénées-Orientales	L'AGRI PYRENEES ORIENTALES
66 - Pyrénées-Orientales	LE CATALAN
66 - Pyrénées-Orientales	LA CROIX DU MIDI

66 - Pyrénées-Orientales	L'ECHO DES METIERS
66 - Pyrénées-Orientales	L'INDEPENDANT
66 - Pyrénées-Orientales	LE MIDI LIBRE
66 - Pyrénées-Orientales	LE PARJAL
66 - Pyrénées-Orientales	LA SEMAINE DU ROUSSILLON
66 - Pyrénées-Orientales	LE TRAVAILLEUR CATALAN
66 - Pyrénées-Orientales	LE PETIT JOURNAL
67 - Bas-Rhin	LE REPUBLICAIN LORRAIN
67 - Bas-Rhin	AFFICHES D'ALSACE LORRAINE
67 - Bas-Rhin	L'ALSACE
67 - Bas-Rhin	L'ALSACE LUNDI
67 - Bas-Rhin	L'AMI DU PEUPLE
67 - Bas-Rhin	DERNIERES NOUVELLES ALSACE
67 - Bas-Rhin	DERNIERES NOUVELLES D'ALSACE LUNDI
67 - Bas-Rhin	L'EST AGRICOLE ET VITICOLE
68 - Haut-Rhin	L'ALSACE DU LUNDI
68 - Haut-Rhin	L'ALSACE
68 - Haut-Rhin	L'AMI DU PEUPLE
68 - Haut-Rhin	DERNIERES NOUVELLES ALSACE
68 - Haut-Rhin	DERNIERES NOUVELLES ALSACE LUNDI
68 - Haut-Rhin	L'EST AGRICOLE ET VITICOLE
68 - Haut-Rhin	LE JOURNAL DES MENAGERES

68 - Haut-Rhin	LE PAYSAN DU HAUT RHIN
68 - Haut-Rhin	PETITES AFFICHES DU HAUT RHIN
69 - Rhône	L'ESSOR
69 - Rhône	L'INFORMATION AGRICOLE RHONE
69 - Rhône	JOURNAL DU BATIMENT & T.P.
69 - Rhône	LE PATRIOTE BEAUJOLAIS
69 - Rhône	LE PAYS D'ENTRE LOIRE ET RHONE
69 - Rhône	LE PAYS ROANNAIS
69 - Rhône	LES PETITES AFFICHES LYONNAISE
69 - Rhône	LE PROGRES DE LYON
69 - Rhône	TOUT LYON & MONITEUR JUDICIAIRE
69 - Rhône	TRIBUNE DE LYON
70 Haute-Saône	L'ALSACE LE PAYS
70 Haute-Saône	LES AFFICHES DE LA HAUTE SAONE
70 Haute-Saône	L'ALSACE LE PAYS LUNDI
70 Haute-Saône	L'EST REPUBLICAIN
70 Haute-Saône	EST REPUBLICAIN LUNDI
70 Haute-Saône	HAUTE SAONE AGRICOLE & RURALE
70 Haute-Saône	LA PRESSE DE GRAY
70 Haute-Saône	LA PRESSE DE VESOUL
71 - Saône-et-Loire	DIMANCHE SAONE ET LOIRE

71 - Saône-et-Loire	DOCUMENTS ACTUALITES PROF.
71 - Saône-et-Loire	L'EXPLOITANT AGRICOLE
71 - Saône-et-Loire	GAZETTE-L'INDEPENDANT MORVAN
71 - Saône-et-Loire	INDEPENDANT DU LOUHANNAIS
71 - Saône-et-Loire	LE JOURNAL DE SAONE ET LOIRE
71 - Saône-et-Loire	LES NOUVELLES DE SAONE ET LOIRE
71 - Saône-et-Loire	LE PAYS ROANNAIS
71 - Saône-et-Loire	LA RENAISSANCE
71 - Saône-et-Loire	DOCUMENTS AP
72 - Sarthe	OUEST-FRANCE
72 - Sarthe	L'ORNE HEBDO
72 - Sarthe	LES ALPES MANCELLES LIBEREES
72 - Sarthe	LES NOUVELLES L'ECHO
72 - Sarthe	LE PERCHE
72 - Sarthe	AGRI 72
72 - Sarthe	LE REVEIL REPUBLICAIN
72 - Sarthe	ECHO DE LA VALLEE DU LOIR
72 - Sarthe	L'ECHO DE VIBRAYE
73 - Savoie	LE DAUPHINE LIBERE
73 - Savoie	ECO DES PAYS DE SAVOIE
73 - Savoie	L'ESSOR SAVOYARD
73 - Savoie	L'HEBDO DE SAVOIE

73 - Savoie	JOURNAL DU BATIMENT & T.P.
73 - Savoie	LA MAURIENNE REPUBLICAINE
73 - Savoie	LA MAURIENNE
73 - Savoie	LA SAVOIE
73 - Savoie	LA VIE NOUVELLE
74 - Haute-Savoie	LE DAUPHINE LIBERE
74 - Haute-Savoie	ECO DES PAYS DE SAVOIE
74 - Haute-Savoie	L'ESSOR SAVOYARD
74 - Haute-Savoie	LE FAUCIGNY
74 - Haute-Savoie	L'HEBDO DE SAVOIE
74 - Haute-Savoie	LE MESSAGER
75 - Paris	LES ECHOS
75 - Paris	L'ITINERANT
75 - Paris	LES AFFICHES PARISIENNES
75 - Paris	LES ANNONCES DE LA SEINE
75 - Paris	ARCHIVES COMMERCIALE FRANCE
75 - Paris	L'AUVERGNAT DE PARIS
75 - Paris	LA CROIX
75 - Paris	FRANCE SOIR
75 - Paris	LA GAZETTE DU PALAIS
75 - Paris	JOURNAL SPECIAL SOCIETES
75 - Paris	LIBERATION
75 - Paris	LA LOI
75 - Paris	MONITEUR DES TP & BATIMENT

75 - Paris	LE NOUVEL OBSERVATEUR
75 - Paris	PARIS NOTRE DAME
75 - Paris	LE PARISIEN
75 - Paris	LES PETITES AFFICHES
75 - Paris	LE PELERIN MAGAZINE
75 - Paris	LE PUBLICATEUR LEGAL
75 - Paris	LE QUOTIDIEN JURIDIQUE
75 - Paris	LA TRIBUNE
75 - Paris	LA VIE JUDICIAIRE
76 - Seine-Maritime	LA DEPECHE DU PAYS DE BRAY
76 - Seine-Maritime	L'ECLAIREUR BRAYON
76 - Seine-Maritime	BULLETIN ARRONDISSEMENT ROUEN
76 - Seine-Maritime	LES INFORMATIONS DIEPPOISES
76 - Seine-Maritime	LE JOURNAL D'ELBEUF & DE REGION
76 - Seine-Maritime	LE REVEIL DE NEUFCHATEL
76 - Seine-Maritime	UNION AGRICOLE SEINE MARITIME
76 - Seine-Maritime	LIBERTE DIMANCHE
76 - Seine-Maritime	LIBERTE LE HAVRE DIMANCHE
76 - Seine-Maritime	PARIS NORMANDIE ROUEN
76 - Seine-Maritime	L'INFORMATEUR
76 - Seine-Maritime	LE COURRIER CAUCHOIS
76 - Seine-Maritime	LE HAVRE LIBRE
76 - Seine-Maritime	LE HAVRE LIBRE DIMANCHE

76 - Seine-Maritime	LE HAVRE PRESSE
76 - Seine-Maritime	LE HAVRE PRESSE DIMANCHE
76 - Seine-Maritime	PARIS NORMANDIE/PRESSE HAVRAISE
76 - Seine-Maritime	LES AFFICHES DE NORMANDIE
77 - Seine-et-Marne	LA REPUBLIQUE SEINE ET MARNE
77 - Seine-et-Marne	MONITEUR DES TP & BATIMENT
77 - Seine-et-Marne	LE PAYS BRIARD
77 - Seine-et-Marne	LE PARISIEN
77 - Seine-et-Marne	L'ECLAIREUR DU GATINAIS
77 - Seine-et-Marne	HORIZONS CENTRE IDF
77 - Seine-et-Marne	LA MARNE
77 - Seine-et-Marne	LE MONITEUR DE SEINE ET MARNE
78 - Yvelines	LE COURRIER DE MANTES
78 - Yvelines	LE COURRIER DES YVELINES
78 - Yvelines	TOUTES LES NOUVELLES
78 - Yvelines	LES AFFICHES VERSAILLAISES
78 - Yvelines	LES ANNONCES DE LA SEINE
78 - Yvelines	LE NOUVEL OBSERVATEUR
78 - Yvelines	LA CROIX
78 - Yvelines	L'ECHO REPUBLICAIN
78 - Yvelines	L'INFORMATEUR SEINE & OISE

78 - Yvelines	MONITEUR DES TP & BATIMENT
78 - Yvelines	LE PARISIEN
78 - Yvelines	PETITES AFFICHES S&O
79 - Deux-Sèvres	AGRI-INFORMATIONS
79 - Deux-Sèvres	NVELLE REPUBLIQUE C-O
79 - Deux-Sèvres	LA CONCORDE
79 - Deux-Sèvres	LE COURRIER DE L'OUEST
80 - Somme	L'ECLAIREUR DE GAMACHES
80 - Somme	LE JOURNAL D'ABBEVILLE ET DU PONTHIEUMARQUENTERRE
80 - Somme	LE JOURNAL DE HAM
80 - Somme	PICARDIE LA GAZETTE
80 - Somme	L'INFORMATEUR D'EU
80 - Somme	L'ACTION AGRICOLE PICARDE
80 - Somme	LE BONHOMME PICARD
80 - Somme	LE COURRIER PICARD
80 - Somme	L'ABEILLE DE LA TERNOISE
81 - Tarn	LA CROIX DU MIDI - ECHO DU TARN
81 - Tarn	LA DEPECHE DU MIDI
81 - Tarn	JOURNAL ICI TARN LAURAGAIS
81 - Tarn	LA MONTAGNE NOIRE
81 - Tarn	LE PAYSAN TARNAIS
81 - Tarn	TOUTE LA SEMAINE DE CASTRES

81 - Tarn	L'ECHO DU TARN
81 - Tarn	LE TARN LIBRE
82 - Tarn-et-Garonne	LE COURRIER FRANCAIS
82 - Tarn-et-Garonne	LA DEPECHE DU MIDI
82 - Tarn-et-Garonne	LE JOURNAL DU PALAIS
82 - Tarn-et-Garonne	LE PETIT JOURNAL
82 - Tarn-et-Garonne	LE REVEIL DU TARN ET GARONNE
83 - Var	LA MARSEILLAISE
83 - Var	SEMAINE PROVENCE
83 - Var	LE VAR INFORMATION
83 - Var	VAR MATIN - NICE MATIN
84 - Vaucluse	LIBERTE L'HOMME DE BRONZE
84 - Vaucluse	LA MARSEILLAISE
84 - Vaucluse	PETITES AFFICHES DU VAUCLUSE
84 - Vaucluse	LA PROVENCE
84 - Vaucluse	SEMAINE PROVENCE
84 - Vaucluse	LA TRIBUNE DE MONTELIMAR
84 - Vaucluse	LE VAUCLUSE AGRICOLE
84 - Vaucluse	LE VAUCLUSE HEBDO - LE COMTADIN
84 - Vaucluse	VAUCLUSE MATIN
84 - Vaucluse	VIGNERONS DES COTES DU RHONE
85 - Vendée	OUEST-FRANCE

85 - Vendée	LES SABLES/VENDEE JOURNAL
85 - Vendée	LE COURRIER VENDEEN
85 - Vendée	LE JOURNAL DU PAYS YONNAIS
85 - Vendée	L'ECHO DE L'OUEST
85 - Vendée	VENDEE AGRICOLE
86 - Vienne	NVELLE REPUBLIQUE C-O
86 - Vienne	LA VIENNE RURALE
86 - Vienne	CENTRE PRESSE
86 - Vienne	LE COURRIER FRANCAIS
86 - Vienne	INFO-ECO
86 - Vienne	LE JOURNAL DE CIVRAY
87 - Haute-Vienne	CENTRE FRANCE DIMANCHE
87 - Haute-Vienne	LE COURRIER FRANCAIS
87 - Haute-Vienne	L'ECHO
87 - Haute-Vienne	MONTAGNE-CENTRE FRANCE
87 - Haute-Vienne	LA NOUVELLE ABEILLE
87 - Haute-Vienne	LE NOUVELLISTE
87 - Haute-Vienne	LE POPULAIRE DU CENTRE
87 - Haute-Vienne	L'UNION AGRICOLE
88 - Vosges	L'ABEILLE
88 - Vosges	LES ANNONCES DES HAUTES VOSGES
88 - Vosges	L'ECHO DES VOSGES
88 - Vosges	LE PAYSAN VOSGIEN
88 - Vosges	VOSGES MATIN

89 - Yonne	LA LIBERTE DE L'YONNE
89 - Yonne	INDEPENDANT DE L'YONNE
89 - Yonne	TERRES DE BOURGOGNE
89 - Yonne	L'YONNE REPUBLICAINE
90 - Territoire de Belfort	L'EST REPUBLICAIN
90 - Territoire de Belfort	L'EST REPUBLICAIN LUNDI
90 - Territoire de Belfort	LE PAYS
90 - Territoire de Belfort	LE PAYS DU LUNDI
90 - Territoire de Belfort	LA TERRE DE CHEZ NOUS
91 - Essonne	LES AFFICHES VERSAILLAISES
91 - Essonne	LES ECHOS
91 - Essonne	HORIZONS CENTRE IDF
91 - Essonne	LA CROIX
91 - Essonne	FRANCE SOIR
91 - Essonne	LE PELERIN MAGAZINE
91 - Essonne	LE NOUVEL OBSERVATEUR
91 - Essonne	L'INFORMATEUR SEINE & OISE
91 - Essonne	MONITEUR DES TP & BATIMENT
91 - Essonne	LE PARISIEN
91 - Essonne	PETITES AFFICHES S&O
91 - Essonne	LE REPUBLICAIN DE L'ESSONNE
92 - Hauts-de-Seine	FRANCE SOIR
92 - Hauts-de-Seine	L'ITINERANT
92 - Hauts-de-Seine	L'USINE NOUVELLE
92 - Hauts-de-Seine	L'ECHO ILE DE FRANCE

92 - Hauts-de-Seine	LE NOUVEL OBSERVATEUR
92 - Hauts-de-Seine	LES AFFICHES PARISIENNES
92 - Hauts-de-Seine	ANTONY HEBDO
92 - Hauts-de-Seine	LES ANNONCES DE LA SEINE
92 - Hauts-de-Seine	ARCHIVES COMMERCIALE FRANCE
92 - Hauts-de-Seine	LA CROIX
92 - Hauts-de-Seine	LA GAZETTE DU PALAIS
92 - Hauts-de-Seine	L'HUMANITE
92 - Hauts-de-Seine	LA LOI
92 - Hauts-de-Seine	MONITEUR DES TP & BATIMENT
92 - Hauts-de-Seine	LE PARISIEN
92 - Hauts-de-Seine	LES PETITES AFFICHES
92 - Hauts-de-Seine	LE PUBLICATEUR LEGAL
92 - Hauts-de-Seine	LE QUOTIDIEN JURIDIQUE
92 - Hauts-de-Seine	LA TRIBUNE
92 - Hauts-de-Seine	LA VIE JUDICIAIRE
92 - Hauts-de-Seine	JOURNAL SPECIAL SOCIETES
93 - Seine-Saint-Denis	L'ITINERANT
93 - Seine-Saint-Denis	L'ECHO ILE DE FRANCE
93 - Seine-Saint-Denis	LES AFFICHES PARISIENNES
93 - Seine-Saint-Denis	LES ANNONCES DE LA SEINE
93 - Seine-Saint-Denis	ARCHIVES COMMERCIALE FRANCE
93 - Seine-Saint-Denis	LA GAZETTE DU PALAIS
93 - Seine-Saint-Denis	L'HUMANITE
93 - Seine-Saint-Denis	JOURNAL SPECIAL SOCIETES

93 - Seine-Saint-Denis	LA LOI
93 - Seine-Saint-Denis	MONITEUR DES TP & BATIMENT
93 - Seine-Saint-Denis	LE PARISIEN
93 - Seine-Saint-Denis	LES PETITES AFFICHES
93 - Seine-Saint-Denis	LE PUBLICATEUR LEGAL
93 - Seine-Saint-Denis	LE QUOTIDIEN JURIDIQUE
93 - Seine-Saint-Denis	LA VIE JUDICAIRE
94 - Val-de-Marne	FRANCE SOIR
94 - Val-de-Marne	L'ECHO ILE DE FRANCE
94 - Val-de-Marne	LES ECHOS
94 - Val-de-Marne	LES AFFICHES PARISIENNES
94 - Val-de-Marne	LES ANNONCES DE LA SEINE
94 - Val-de-Marne	ARCHIVES COMMERCIALE FRANCE
94 - Val-de-Marne	LA GAZETTE DU PALAIS
94 - Val-de-Marne	L'HUMANITE
94 - Val-de-Marne	JOURNAL SPECIAL SOCIETES
94 - Val-de-Marne	LA LOI
94 - Val-de-Marne	MONITEUR DES TP & BATIMENT
94 - Val-de-Marne	LE PARISIEN
94 - Val-de-Marne	LES PETITES AFFICHES
94 - Val-de-Marne	LE PUBLICATEUR LEGAL
94 - Val-de-Marne	LE QUOTIDIEN JURIDIQUE
94 - Val-de-Marne	VAL DE MARNE - INFO
94 - Val-de-Marne	LA VIE JUDICAIRE
95 - Val d'Oise	L'ECHO REGIONAL

95 - Val d'Oise	LA GAZETTE DU VAL D'OISE
95 - Val d'Oise	LE PARISIEN
97-1 -Guadeloupe	LA GAZETTE DES CARAIBES
97-1 -Guadeloupe	FRANCE ANTILLES
97-1 -Guadeloupe	LES NOUVELLES ETINCELLES
97-1 -Guadeloupe	LE PROGRES SOCIAL
97-1 -Guadeloupe	SEPT MAG
97-1 -Guadeloupe	LE PROBANT
97-2 - Martinique	FRANCE ANTILLES
97-2 - Martinique	ANTILLA
97-2 - Martinique	JUSTICE
97-2 - Martinique	TV MAGAZINE
97-3 - Guyane FRANCE GUYANE	LA SEMAINE GUYANAISE
97-4 - Réunion	JOURNAL DE L'ILE DE LA REUNION
97-4 - Réunion	LE QUOTIDIEN DE LA REUNION
97-4 - Réunion	TELE MAG REUNION
97-4 - Réunion	TEMOIGNAGES
97-4 - Réunion	VISU
97-5 - Saint-Pierre-et Miquelon	L'ECHO DES CAPS
97-6 - Mayotte	LES NOUVELLES DE MAYOTTE
97-6 - Mayotte	LE MAHORAIS
97-6 - Mayotte	MAYOTTE HEBDO
97-7 - Polynésie Française LES NOUVELLES CALEDONNIENNES	LES INFOS

Si vous faites une séance de dédicace, n'hésitez pas aussi à rappeler le même journaliste pour lui demander un encart ou mieux encore un publi-reportage sur place.

Les journaux nationaux

Il n'en va pas de même pour les journaux d'importance nationale et vous aurez plus de difficulté à obtenir ne serait-ce qu'un encart dans la rubrique littéraire. Pour y parvenir, vous devrez écrire au journaliste en charge de la rubrique en lui présentant votre ouvrage par le résumé mais aussi par un courrier lui expliquant pourquoi il devrait le mettre en avant dans son journal. Bien entendu, vous joindrez un exemplaire dédicacé à votre demande.

Ne vous attendez pas à des miracles, seuls 5 % des demandes reçoivent un retour journalistique.

Les blogueurs

Vous trouverez de nombreuses blogueuses et quelques blogueurs sur les réseaux sociaux et vous pourrez leur propose de chroniquer votre livre pour leurs audiences propres. Pour cela, prenez contact par messagerie interactive puis adressez un exemplaire numérique de votre ouvrage. Le blogueur publiera un avis détaillé sur ce qu'il a lu dans un délai avoisinant habituellement les trois semaines. Dès publication, vous pourrez partager cette chronique sur votre page puis sur des groupes de lecteurs.

Certains blogueurs demandent un livre broché pour faire la chronique, avant de faire cet envoi coûteux, vérifiez l'audience de la page en question. Si elle est de moins de 500 fans, il n'y a que peu d'intérêt à dépenser le prix du livre auquel s'ajouteront les frais de port.

Les radios et les télévisions

Ne rêvez pas : même en étant publié par une très grande maison, vous ne ferez pas le journal de 20 h réservé aux auteurs qui vendent plus de 100 000 exemplaires ! Mais il existe de nombreuses radios locales qui vous accueilleront gracieusement et avec plaisir. Un simple courriel ou appel téléphonique et vous voilà propulsé dans les studios de celles-ci. Parmi celles-ci, naturellement, les antennes de France-Bleu qui quadrillent l'ensemble du territoire et qui proposent chacune une émission littéraire comportant un concours qui permet aux auditeurs de gagner quelques exemplaires de votre ouvrage.

Les télévisions locales sont bien plus nombreuses qu'on ne le pense et vous accueilleront gentiment pour vous permettre de présenter votre ouvrage que ce soit au cours d'une émission culturelle ou d'une session d'informations.

Pour ces deux cas, pensez à rester vous-même, à ne pas vous stresser avant le passage à l'antenne et tout ira pour le mieux !

Une fois, l'émission enregistrée, demandez-en l'enregistrement à vos interlocuteurs, vous pourrez la partager sur vos réseaux sociaux comme gage de notoriété.

Nom	Dpt	Courriel
ÉCLAT DE LIRE	4	eclatdelire@wanadoo.fr
Fréquence Mistral	4	contact@frequencemistral.net
Radio Zinzine	4	info@radiozinzine.org
Radio Alpine Meilleure	5	ram05@orange.fr
France Bleu	6	daria.bonnin@radiofrance.com
Agora FM	6	agorafm@wanadoo.fr
France Bleu	13	thibaut.gaudry@radiofrance.com
Fréquence Mistral	13	marseille@frequencemistral.com
Radio Dialogue	13	programmes@radiodialogue.fr
Radio Grenouille	13	radio@grenouille888.org
Radio Grenouille	13	radio@grenouille888.org
Radio Grenouille	13	caillou.chaussure@free.fr
Radio Grenouille	13	programmes@radiodialogue.fr
Radio Grenouille	13	programmes@radiodialogue.fr
Radio juive Marseille	13	rjmelsa@yahoo.fr
Soleil FM	13	contact@soleilfm.com
France Bleu	14	fbnormandie@radiofrance.com
France Bleu	17	marylou.rrichet@radiofrance.com
France Bleu	17	marylou.richet@radiofrance.com
demoiselle FM	17	demoisellefm@sfr.fr
Radio Occitania	21	philippe.moity@radiofrance.com

France Bleu	23	chrystel.rouchon@bleucreuse.com
France Bleu	24	nathalie.coursac@radiofrance.com
Isabelle FM	24	patrick@isabellefm.com
France Bleu	25	marie.ange.pinelli@radiofrance.com
Radio Mti	26	secretariat@radiomti.net
Radio Mega	26	bastien@radio-mega.com
France Bleu	29	bleubreizhizel@radiofrance.com
France Bleu	29	bleuchampagne@radiofrance.com
France Bleu	30	anthony.bastille@radiofrance.com
Radio Sommières	30	contact@radio-s.fr
Radio Présence Toulouse	31	monique.saucher@free.com
Radio Présence	31	comminges@radiopresence.com
France Bleu	31	brigitte.palchine@radiofrance.com
Radio Présence Toulouse	31	monique.faucher@free.com
France Bleu	34	herve.chabba@radiofrance.com
Radio ONE	34	antenne@radioone.fr
France Bleu	35	bleuarmorique@radiofrance.com
Canal B	35	yann@canalb.fr
Bretagne 5	36	contactradio@bretagne5.fr
Bretagne 5	36	contactradio@bretagne5.fr
Bretagne 5	36	contactradio@bretagne5.fr
Bretagne 5	36	contactradio@bretagne5.fr
France Bleu	36	franceberry@radiofrance.com
France Bleu	38	michele.caron@radiofrance.com
News FM	38	redaction@radio-newsfm.fr
France Bleu	42	bleu42@raidofrance.com

ACTIV radio	42	activinfo@activradio.com
France Bleu	44	herve.marchioni@radiofrance.com
Prun'	44	redaction@prun.net
Radio Campus d'Orléans	45	contact@ciclic.fr
France Bleu	50	isabelle.martin@radiofrance.com
France Bleu	53	bleumayenne@radiofrance.com
Radio activités	54	radio.activites@wanadoo.fr
LORFM	57	bruno@lorfm.com
France Bleu	59	agnes.delbarre@radiofrance.com
Canal FM	59	radio@canalfm.com
Metropolys	59	redaction@metropolys.com
France Bleu	64	gregoire.tiffaneau@radiofrance.com
Radio Présence	65	radiolp@lourdes-france.com
France Bleu	66	michele.pierrard@radiofrance.com
Radio RBS	67	contact@radiorbs.com
EST FM	67	radio@estfm.fr
Phare FM	68	contact@pharefm.com
Radio chrétienne Française Côte d'Azur	69	rcfcotedazur@rcf.fr
SOL FM	69	solfm-marie@wanadoo.fr
RCF	69	mitchmartinique@gmail.com
France Bleu	72	bleumaine@radiofrance.com
France Bleu	73	bleuservice@radiofrance.com
ODS RADIO	74	n.marin@laradioplus.com
C Radio	74	agenda@montblancmedias.com
Aligre FM 93.1	75	lavieestunroman@aligrefm.org

France Culture	75	auditeurfranceculture@radiofrance.com
France Culture	75	ladispute@radiofrance.com
Aligre FM 93.1	75	contact@aligrefm.org
France Culture	75	auditeurfranceculture@radiofrance.com
FRANCE INTER	75	interception@radiofrance.com
FRANCE INTER	75	interception@radiofrance.com
FRANCE CULTURE	75	auditeurfranceculture@radiofrance.com
FRANCE CULTURE	75	auditeurfranceculture@radiofrance.com
FRANCE CULTURE	75	auditeurfranceculture@radiofrance.com
FRANCE CULTURE	75	auditeurfranceculture@radiofrance.com
FRANCE CULTURE	75	auditeurfranceculture@radiofrance.com
Radio notre Dame	75	marielle.gaillard@radionotredame.com
RADIO CLASSIQUE	75	contact@radioclassique.fr
Radio Courtoisie	75	courtoisie@radiocourtoisie.fr
RTL	75	contact.antenne@rtl.fr
France Bleu	76	richard.gauthier@radiofrance.com
Radio HDR	76	dam5965@hotmail.fr
Radio chrétienne Française Côte d'Azur	77	contact@radio-rfe.com
Radio Oxygène	77	info@radiooxygene.fr
France Bleu	80	agenda80@radiofrance.com

Radio côte Varoise	83	radiocotevaroise@gmail.com
Nov FM	85	info@novfm.com
Beaub'FM	87	sara.beaubfm@gmail.com
France Bleu	89	stephanie.martin@radiofrance.com
RFI	92	support@radio.de
RFI	92	support@radio.de
Tropiques FM	92	contact@tropiquesfm.com
P2M Radio	93	mitchmartinique@gmail.com
France Bleu		agenda.provence@radiofrance.com
France Bleu		Pas de rubrique littéraire
France Bleu		thierry.niogret@radiofrance.fr
France Bleu		patricia.goyheneix@radiofrance.com
France Bleu		Pas de rubrique littéraire
France Bleu		bleutouraine@radiofrance.com
France Culture		auditeurfranceculture@radiofrance.com
Radio Canada		plusonlit@radio-canada.ca
Radio Belgique		emozioni33@gmail.com
Onde Courte		programmation@ondecourte.fr
Mix la radio étudiante		alain.enjolras@radio-mix.com mix@radio-mix.com
Radio chrétienne Française Côte d'Azur		contact@radio-rfe.com
RCF Côte d'Azur		rcfcotedazur@rcf.fr
France Bleu		Pas de rubrique littéraire
CHAMPAGNE FM		Pauline@ChampagneFM.com
Radio PUISALEINE		contact@radiopuisaleine.fr

Radio Cagnac		radio.cagnac@orange.fr
Delta FM		redaction@deltafm.fr
Radiopaysdaurillac		rpacontact@radiopaysdaurillac.com
Plum'FM		contact@plumfm.net
Sweet FM		redaction@sweetfm.fr
Emergence FM		emergencefm@gmail.com
Radio G		prog.radiog@gmail.com
Dig Radio		contact@Digradio.fr
Radio béton		direction@radiobeton.com
Kaolin 88.9		Jack.prod@gmail.com
Radio Temps Z		contact@radiotemps.com
Radio clade		contact@radio-clade.fr
Radio campus bordeaux		com.bdx@gmail.com
Radio clapas		direction@radiocalaps.fr
Radio aviva		redaction@radio-aviva.com
Radio grille ouverte		coordination@radiogrilleouverte.com
Fréquence protestante		radio@prequenceprotestante.com
Virgin radio		celine.carriere@virginradio.fr
Radio 4		contact@radio4.fr
RCN		monavancon@gmail.com
RTL		Anna.hayot@rtl.fr
Maritima		redaction@Maritima.info

Les accessoires

Plusieurs accessoires ou goodies sont accessibles de manière peu coûteuse.

Les cartes de visite

Les cartes de visite vous serviront à vous présenter et surtout à ce qu'on se souvienne de votre passage. Que ce soit en librairie, en salon ou à la radio ou la télévision, n'hésitez pas à en distribuer autour de vous. Cette carte doit comporter votre nom bien sûr, votre adresse courriel, votre numéro de téléphone, si vous le souhaitez, et en fond ou en vignette la couverture de votre livre. Les personnes que vous aurez rencontrées ne se souviendront peut-être pas de vous mais certainement de votre livre.

Les marque-pages

Ils ont pour vocation première d'être distribués comme cadeau lors de votre présence dans des événements comme les dédicaces ou les salons où ils attirent les passants. N'hésitez pas à en mettre suffisamment sur votre table car, même s'ils ont un coût, ils sont de véritables aimants.

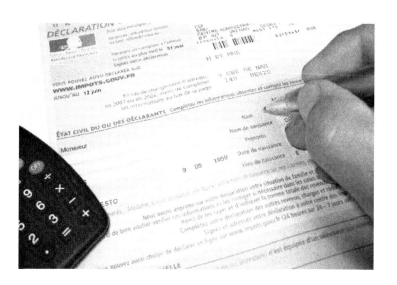

L'administration de vos ventes

Maintenant que vous avez vendu vos livres, il faut s'intéresser à votre situation d'auteur au regard de la fiscalité et des lois sociales.

La fiscalité

En qualité d'auteurs, vous percevez deux types de revenus : les droits d'auteur qui vous sont versés par votre éditeur et le montant des ventes que vous avez réalisées vous-même au cours d'événements ou sur les réseaux sociaux.

Sachez tout d'abord que vous n'avez aucune obligation de vous déclarer en tant qu'entrepreneur ou exploitant individuel. Vous pouvez rester un simple particulier déclarant ses revenus classiques et y adjoindre ceux de votre activité d'écrivain.

Les droits d'auteur

À intervalles réguliers, le plus souvent deux fois par année, votre éditeur vous reverse les droits calculés sur les ventes de votre ouvrage. Ces droits sont ensuite la base de déductions : la CSG que tout individu doit régler sur son revenu [reversée par l'éditeur à l'URSSAF des auteurs], les charges sociales d'auteur [reversée par l'éditeur à l'URSSAF des auteurs], la TVA [reversée par l'éditeur aux services fiscaux dont il dépend]. Ces diverses contributions pèseront pour environ 20 % de vos droits bruts.

Ils vous mettent pourtant à l'abri de devoir déclarer vous-même votre revenu à une caisse sociale et de déposer une déclaration de TVA. La seule démarche qu'il vous reste à entreprendre est d'indiquer sur votre déclaration de revenus en cases 1GB le montant net que vous avez réellement perçu, soit donc le montant du chèque reçu de votre éditeur.

Les ventes de livres

Les ventes que vous avez réalisées vous-même suivent un fonctionnement différent car il s'agit là au regard de la loi fiscale de ventes de produits. Vous devrez alors souscrire une déclaration complémentaire à votre déclaration de revenus habituelle. Il s'agit du formulaire 2042-C-PRO que vous remplirez en case SKO du montant net de vos ventes, montant réellement encaissé.

Comme l'abattement minimal sur ce type de revenus est de 305 €, si vos recettes sont inférieures à ce montant, vous ne paierez aucun impôt.

Couverture sociale

Si vous avez la chance d'encaisser des droits d'auteur importants, sachez que leur montant constituera la base d'un complément de retraite complémentaire lorsque vous la ferez valoir.

Et maintenant, c'est à vous !

Il est maintenant temps de vous lancer, votre livre mérite certainement d'être lu et vous avez de nombreuses clés en main pour ouvrir les portes qui vous permettront d'en faire un réel succès.

Ne baissez pas les bras, la route est longue mais tellement enthousiasmante.

Vous pouvez nous demander de l'aide, nos agents littéraires seront heureux de vous apporter les éléments nécessaires à votre réussite.

Bonnes ventes !

www.jevendsmonlivre.com

Imprimé en Allemagne
Achevé d'imprimer en juin 2020
Dépôt légal : juin 2020

Pour

Jevendsmonlivre.com
128, rue La Boétie
75 008 Paris